Claudine Lacasse

Allegro

Mathématique • 1er cycle du primaire   **Manuel B**

NOUVELLE
CONCERTO
COLLECTION

CEC
LES ÉDITIONS CEC INC.

8101, boul. Métropolitain Est, Anjou, Qc, Canada. H1J 1J9
Téléphone: (514) 351-6010   Télécopieur: (514) 351-3534

Directrice de l'édition
Diane De Santis

Directrice de la production
Danielle Latendresse

Chargée de projet
Diane Karneyeff

Révision scientifique
Hélène Kayler

Conception graphique
St-Rémy Multimédia inc.

Infographie
Interscript inc.

Illustrations
**Monique Chaussée
Franfou
Jacques Lamontagne
Yvon Roy**

Dans cet ouvrage, la féminisation des titres de fonction et des textes s'appuie sur les règles d'écriture proposées par l'Office de la langue française dans le guide *Au féminin*, Les Publications du Québec, 1991.

Dépôt légal : 4ᵉ trimestre 2000
Bibliothèque nationale du Québec
Bibliothèque nationale du Canada

ISBN 2-7617-1640-X

Imprimé au Canada

3 4 5 04 03 02

Sources des photos
Claudine Lacasse

Page 18 : Charles Béchard, Pénélope Desforges, C.S. Chemin-du-Roy.

Page 50 : André Bourque.

Page 61 : Mélissa L'Ecuyer, Jeffrey Guenette, Jérome Poulin, École Harmonie, C.S. de la Beauce-Etchemin.

Pages 112-113 : Maïka Poulin, Jérome Poulin, École Harmonie, C.S. de la Beauce-Etchemin.

L'auteure et l'éditeur tiennent à remercier les personnes suivantes qui ont expérimenté le matériel ou qui ont participé à l'élaboration du projet à titre de consultantes et de consultants :

Diane Charland, enseignante à la C.S. des Sommets ;

Nicole Corbeil, conseillère pédagogique à la C.S. de Laval ;

Suzie Côté, réviseure pédagogique ;

Nathalie Couture, enseignante à la C.S. de la Beauce-Etchemin ;

Mario Ducharme, enseignant à la C.S. des Laurentides ;

Nathalie Hébert, conseillère pédagogique à la C.S. des Chênes ;

Caroline Labbé, enseignante à la C.S. de Laval ;

Madeleine LeBœuf, enseignante à la C.S. des Premières-Seigneuries ;

Diane Scraire, enseignante à la C.S. de la Seigneurie-des-Mille-Îles.

L'histoire des trésors de la ville de CONCERTO

Octave a grandi depuis septembre !
Il habite maintenant une nouvelle maison
dans la ville de CONCERTO.

Octave est toujours aussi curieux.
Il comprend de plus en plus les personnes
et les choses qui l'entourent.

Il utilise plusieurs moyens pour se tirer
d'affaire lorsqu'il fait face à une
situation difficile.

Octave analyse la situation, fait des essais,
choisit une façon de faire et l'applique
tout en se demandant s'il existe une autre
manière de procéder.

Par exemple, l'autre jour, Octave a dû trouver lui-même un moyen
pour sortir d'une garde-robe.
Après avoir gratté et miaulé pour qu'on lui ouvre la porte,
il s'est aperçu qu'en la poussant à un certain endroit, la porte s'entrouvrait.
Il ne restait qu'à la pousser un peu plus pour enfin sortir.
La prochaine fois que cette situation se présentera, Octave saura comment faire !

Découvre les secrets du monde
de la mathématique avec les manuels *Allegro* !
Ils contiennent des leçons qui permettent
de développer des compétences.
Octave apparaît sur différentes pages.
Lorsque tu le vois, utilise ton sens
de l'observation.
Octave te propose aussi des jeux
qui permettent d'appliquer
différentes notions.

Chaque leçon se compose de trois étapes.
Cette démarche permet de mieux retenir l'information.
Ces étapes sont illustrées de la façon suivante.

Je connais des choses, les autres élèves aussi.
Je désire en parler.
J'ai hâte de faire de nouvelles découvertes.

Je réalise des activités en utilisant des ressources.
Je parle de mes découvertes.
J'exprime ce que je comprends et comment je me sens.

Je suis plus à l'aise.
J'applique ce que je sais dans de nouvelles situations.
Je communique ce que j'ai appris.

Les pictogrammes indiquent le matériel à utiliser pour faire les activités.

 Utilise ton ardoise ou une feuille.

Utilise la feuille qu'on te remettra.

Utilise du matériel de manipulation.

La rubrique « Coffre au trésor » se trouve à différents endroits dans les manuels.
Elle contient des notions mathématiques.
Compare son contenu avec ce que tu comprends.
Tu peux aussi l'utiliser pour construire un lexique mathématique.

Des sections dans chaque manuel te proposent différentes activités.

Activités de révision

Activités avec la calculatrice

Activités avec l'ordinateur

Suggestions de projets

Table des matières

◆ nombres naturels   ◆ géométrie   ◆ mesures   ◆ probabilités et statistiques

mise en situation

Estime le nombre de cases qu'il y a en tout dans ces boîtes postales.

Vérifie ton estimation en comptant le nombre de cases.
Utilise une stratégie de comptage.
Écris ce nombre en chiffres.

  1 Écris un numéro sur chaque case des 5 boîtes postales.
Utilise la feuille qu'on te remettra.
Respecte l'ordre croissant.
Commence par le nombre 1 et termine par le nombre 67.

2 Utilise les nombres que tu as écrits sur les cases au numéro 1.

A Place un jeton sur 5 nombres et écris-les en ordre.
Commence par le nombre le plus grand.

B Place un jeton sur un nombre.
Écris 5 nombres qui viennent avant ce nombre.

C Place un jeton sur 2 nombres.
Écris ces nombres et compare-les à l'aide des signes < ou >.

D Place un jeton sur 2 nombres.
Écris 3 nombres qui se situent entre ces nombres.

J'écris les nombres de 1 à 69
en ordre croissant sur une droite numérique.

| 41 | 42 | 43 | 44 | 45 | 46 | 47 | 48 | 49 | 50 | 51 | 52 | 53 | 54 | 55 | 56 | 57 | 58 | 59 | 60 |

⚠ ⏹ Le jeu des devinettes

Nombre d'élèves : 4   **Matériel : des jetons et une feuille ou l'ardoise**

Chaque élève utilise une couleur de jetons.

Un ou une élève du groupe joue le rôle d'arbitre.

Lorsque c'est ton tour :

- place un jeton sur une case ;
- l'arbitre lit à voix haute la devinette ;
- écris ta réponse.

L'arbitre vérifie la réponse.

Si elle est correcte, laisse ton jeton sur la case ; sinon reprends-le.

L'élève qui a placé le plus de jetons gagne la partie.

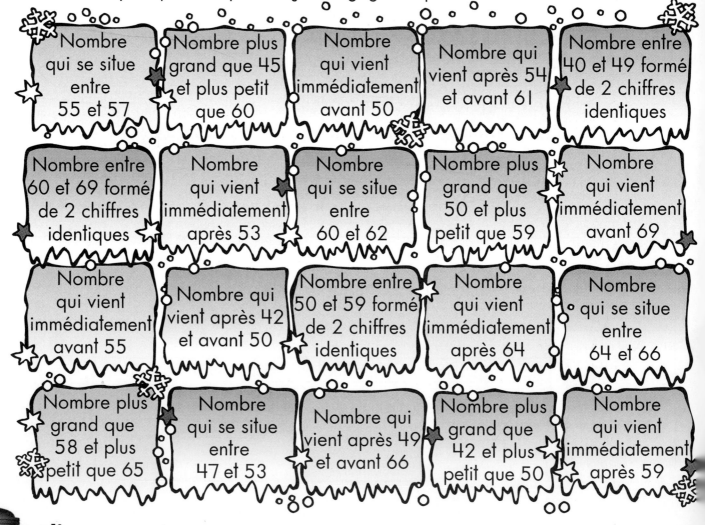

Nombre qui se situe entre 55 et 57

Nombre plus grand que 45 et plus petit que 60

Nombre qui vient immédiatement avant 50

Nombre qui vient après 54 et avant 61

Nombre entre 40 et 49 formé de 2 chiffres identiques

Nombre entre 60 et 69 formé de 2 chiffres identiques

Nombre qui vient immédiatement après 53

Nombre qui se situe entre 60 et 62

Nombre plus grand que 50 et plus petit que 59

Nombre qui vient immédiatement avant 69

Nombre qui vient immédiatement avant 55

Nombre qui vient après 42 et avant 50

Nombre entre 50 et 59 formé de 2 chiffres identiques

Nombre qui vient immédiatement après 64

Nombre qui se situe entre 64 et 66

Nombre plus grand que 58 et plus petit que 65

Nombre qui se situe entre 47 et 53

Nombre qui vient après 49 et avant 66

Nombre plus grand que 42 et plus petit que 50

Nombre qui vient immédiatement après 59

Florence et Olivier jouent au « magasin ».
Ils ont découpé et collé des objets sur des cartons.
Ils ont ensuite indiqué le prix de chaque objet.
Ils utilisent des jetons bleus et des jetons rouges pour acheter ces objets.
Olivier achète les raquettes.
Observe les jetons dans la main d'Olivier.
Quelle est la valeur de chaque jeton rouge ?
Quelle est la valeur de chaque jeton bleu ?

 Joue au « magasin » avec d'autres élèves.

- Découpez 4 objets dans des catalogues ou des dépliants publicitaires.
- Collez chaque objet sur un carton.
- Indiquez un prix entre 12 $ et 69 $ sur chaque carton.
- Affichez les cartons.
- Placez des jetons rouges dans un plat et des jetons bleus dans un autre plat.
- Imaginez une façon de se procurer des jetons.
- Déterminez le rôle de chaque élève, la valeur de chaque couleur de jetons et le déroulement de l'activité.

Je peux décomposer des nombres en utilisant 10.

$$10 + 1 = 11$$
$$10 + 2 = 12$$

$$10 + 10 + 1 = 21$$
$$10 + 10 + 2 = 22$$

$$10 + 10 + 10 + 1 = 31$$
$$10 + 10 + 10 + 2 = 32$$

Jonathan place des jetons dans des gobelets.
Il écrit le nombre de jetons qu'il y a dans chaque gobelet.

A Écris le nombre de groupes de 10 jetons qu'il est possible de former avec le contenu de chaque gobelet.

B Écris 3 nombres différents qui ont autant de dizaines que chaque nombre sur les gobelets.

C Écris 2 nombres différents qui ont moins de dizaines que chaque nombre sur les gobelets.

2 Choisis un nombre parmi ceux inscrits sur les gobelets du numéro 1.
Représente ce nombre dans le tableau ci-dessous.
Utilise des jetons et place-les au bon endroit.

Dizaine	Unité

mise en situation

Observe l'illustration ci-dessous.
Élise veut découvrir les additions de 2 nombres dont le résultat est 6.
Elle veut aussi découvrir les résultats des soustractions dont le premier nombre est 6.
Quels moyens peut-elle utiliser pour découvrir ces additions et ces soustractions ?

Quels matériels peut-elle utiliser ?
Quels dessins peut-elle faire ?

 1 Écris les 8 additions de deux nombres dont le résultat est 7.
Utilise le moyen que tu préfères pour les trouver.

 2 Écris les 9 additions de deux nombres dont le résultat est 8.
Utilise le moyen que tu préfères pour les trouver.

 3 Écris les 8 soustractions dont le premier nombre est 7.
Utilise le moyen que tu préfères pour les trouver.

 4 Écris les 9 soustractions dont le premier nombre est 8.
Utilise le moyen que tu préfères pour les trouver.

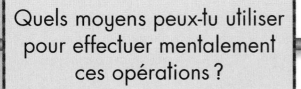

Quels moyens peux-tu utiliser pour effectuer mentalement ces opérations ?	De quelles façons peux-tu représenter ces opérations à l'aide d'un dessin et de matériel ?

C'est facile de retenir les « doubles »!

1 + 1 = 2
2 + 2 = 4
3 + 3 = 6
4 + 4 = 8

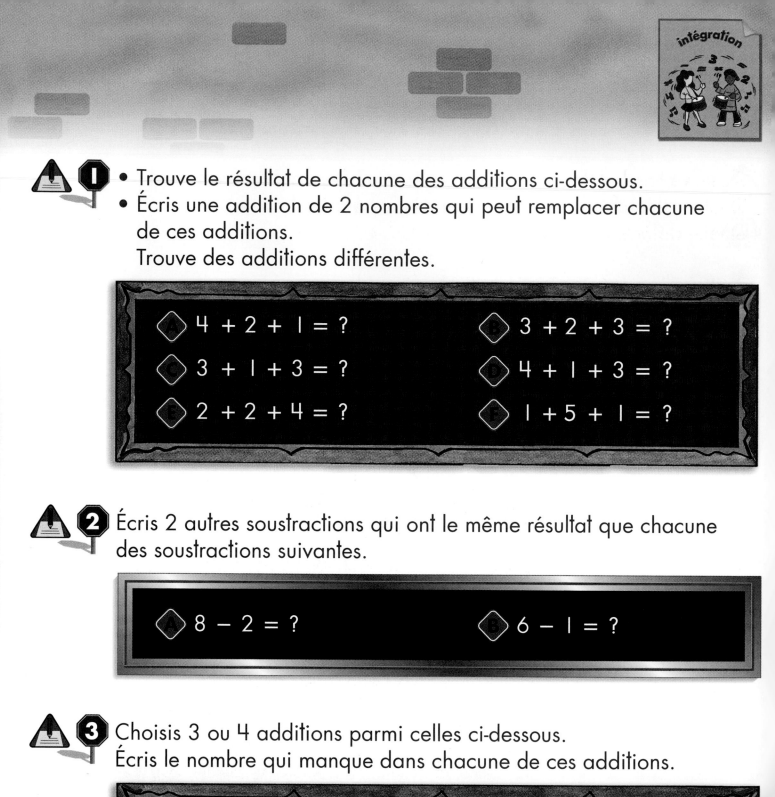

1

- Trouve le résultat de chacune des additions ci-dessous.
- Écris une addition de 2 nombres qui peut remplacer chacune de ces additions.
  Trouve des additions différentes.

A. 4 + 2 + 1 = ?

B. 3 + 2 + 3 = ?

C. 3 + 1 + 3 = ?

D. 4 + 1 + 3 = ?

E. 2 + 2 + 4 = ?

F. 1 + 5 + 1 = ?

2 Écris 2 autres soustractions qui ont le même résultat que chacune des soustractions suivantes.

A. 8 − 2 = ?

B. 6 − 1 = ?

3 Choisis 3 ou 4 additions parmi celles ci-dessous.
Écris le nombre qui manque dans chacune de ces additions.

A. 5 + ? = 8

B. 7 + ? = 7

C. 1 + ? = 7

D. 0 + ? = 8

E. ? + 4 = 7

F. ? + 4 = 8

Observe la photo ci-dessous.
Quelle ressemblance y a-t-il entre ces solides ?
Quelle différence y a-t-il entre ces solides ?

À quel objet ces solides ressemblent-ils ?

Quelles sont les propriétés de ces solides ?

 **A** Construis des boules, des cônes et des cylindres différents. Utilise de la pâte à modeler.

B Décore ces solides pour représenter des animaux ou des objets.

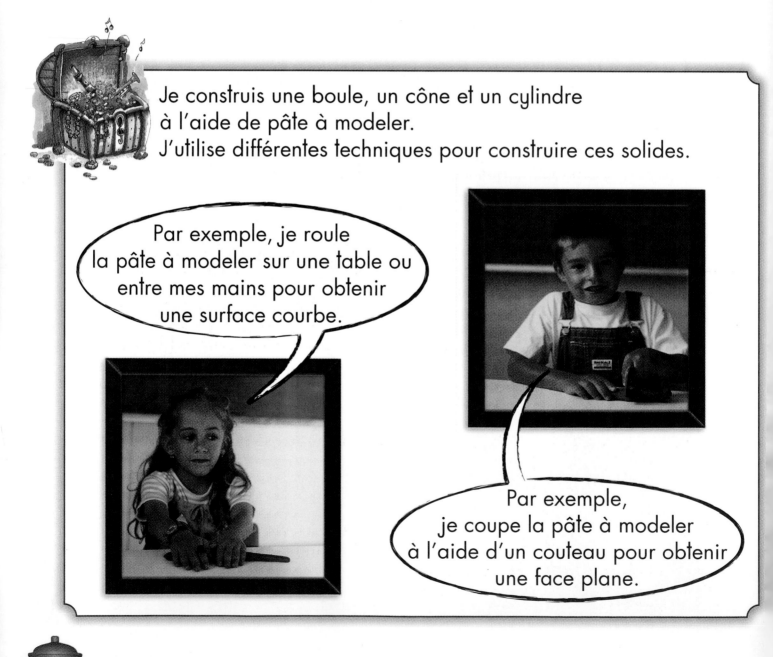

Je construis une boule, un cône et un cylindre à l'aide de pâte à modeler.
J'utilise différentes techniques pour construire ces solides.

Par exemple, je roule la pâte à modeler sur une table ou entre mes mains pour obtenir une surface courbe.

Par exemple, je coupe la pâte à modeler à l'aide d'un couteau pour obtenir une face plane.

❶ Le jeu des cadres

Nombre d'élèves : 4

Matériel : des illustrations de solides, des jetons et un sac

Découpe les illustrations de solides sur la feuille qu'on te remettra.

Place-les dans un sac.

Un ou une élève du groupe joue le rôle d'arbitre.

Lorsque c'est ton tour :

- tire une illustration ;
- place-la sur le cadre qui contient la propriété ou la caractéristique de ce solide.

L'arbitre vérifie la réponse.

Si la réponse est correcte, prends un jeton ; sinon remets l'illustration à l'arbitre.

Le jeu se termine lorsque toutes les illustrations ont été tirées.

L'élève qui a le plus de jetons gagne la partie.

Observe l'illustration ci-dessous.
Combien de roses y a-t-il de plus que de marguerites dans le vase ?
De quelle façon peux-tu représenter cette situation à l'aide de matériel ?
De quelle façon peux-tu la représenter à l'aide d'un dessin ?

Quelle phrase mathématique t'a permis de trouver cette réponse ?
Peux-tu trouver cette réponse à l'aide d'une autre phrase mathématique ?

 Résous les situations à l'aide des fleurs illustrées ci-dessous.
Fais un dessin ou utilise du matériel.
Écris une phrase mathématique.

1 Un bouquet contient des roses et des marguerites.
Il y a 8 fleurs dans ce bouquet.
Il y a autant de marguerites que de roses.
Combien de marguerites et de roses y a-t-il dans ce bouquet?

2 Un bouquet contient des marguerites et des oeillets.
Il y a 7 fleurs dans ce bouquet.
Il y a plus d'oeillets que de marguerites.
Combien de marguerites et d'oeillets y a-t-il dans ce bouquet?
Trouve 3 réponses différentes.

3 Un bouquet contient des roses, des oeillets et des marguerites.
Il y a 8 fleurs dans ce bouquet.
Il y a moins de roses que d'oeillets.
Combien de roses, d'oeillets et de marguerites y a-t-il dans ce bouquet?
Trouve 2 réponses différentes.

Marguerites   Roses   Oeillets

 Résous les situations suivantes.
Utilise du matériel ou un dessin.
Écris une phrase mathématique.

1 On a utilisé le contenu
d'un panier de fruits pour
compléter le tableau ci-contre.
Ce tableau sert à comparer le
nombre de fruits dans ce panier.
Quel panier de fruits a-t-on
utilisé pour compléter ce tableau ?
Choisis le panier qui convient.

plus que ↱	Banane	Orange	Pomme
Banane			✕
Orange	✕		✕
Pomme			

a)

b)

2 Il y a 7 fruits dans un panier.
Ce sont des oranges, des kiwis et des pommes.
Il y a autant d'oranges que de kiwis.
Il y a 1 pomme de plus que de kiwis.
Combien d'oranges, de kiwis et de pommes y a-t-il dans ce panier ?

3 Il y a 8 fruits dans un panier.
Ce sont des bananes et des pêches.
Il y a 4 pêches de moins que de bananes.
Combien de bananes et de pêches y a-t-il dans ce panier ?

Leçon 34

Observe l'illustration ci-dessous.
Écoute l'histoire qu'on te racontera.
Suis le trajet d'Octave avec ton doigt.

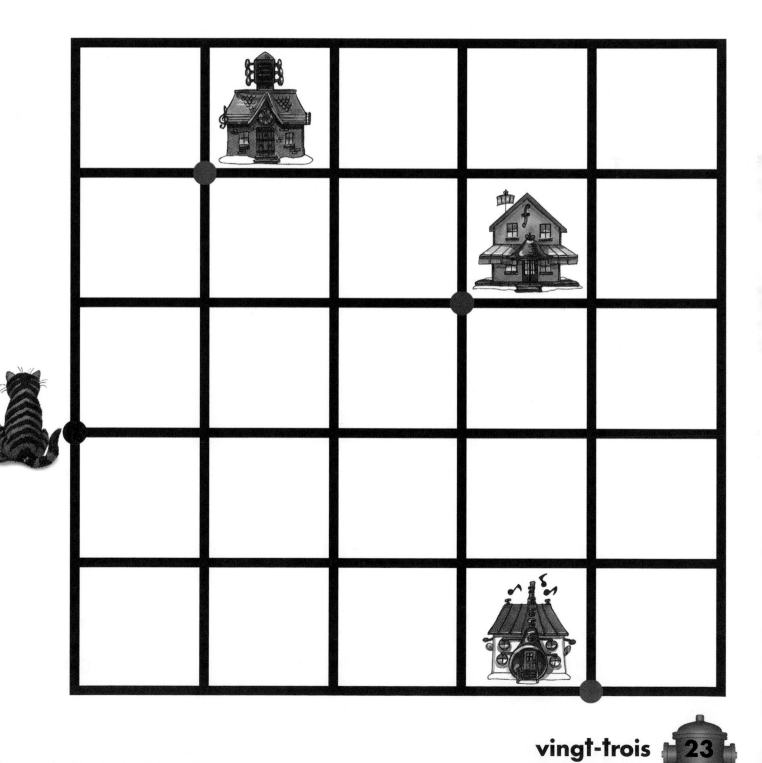

1 **A** Trace 2 autres trajets qu'Octave peut emprunter
pour visiter ses 3 amis.
Trace en bleu le premier trajet.
Trace en vert le second trajet.
Utilise la feuille qu'on te remettra et une règle.

B Représente ces trajets à l'aide de flèches.
Utilise les couleurs qui conviennent.

2 • Compare les trajets du numéro 1 avec ceux d'autres élèves.
• Discute des ressemblances et des différences.
• Découvre le trajet le plus long et le trajet le plus court.
Quel moyen as-tu utilisé pour découvrir ces trajets ?

Je peux représenter un trajet sur un quadrillage
à l'aide de flèches.
Chaque flèche correspond à l'un des côtés d'une case
du quadrillage.

↓ **Vers le bas**　　↑ **Vers le haut**　　→ **Vers la droite**　　← **Vers la gauche**

Fais chacun des trajets indiqués ci-dessous sur le quadrillage.
Le point de départ est le carré noir.
Indique la couleur du cercle à l'arrivée de chacun des trajets.

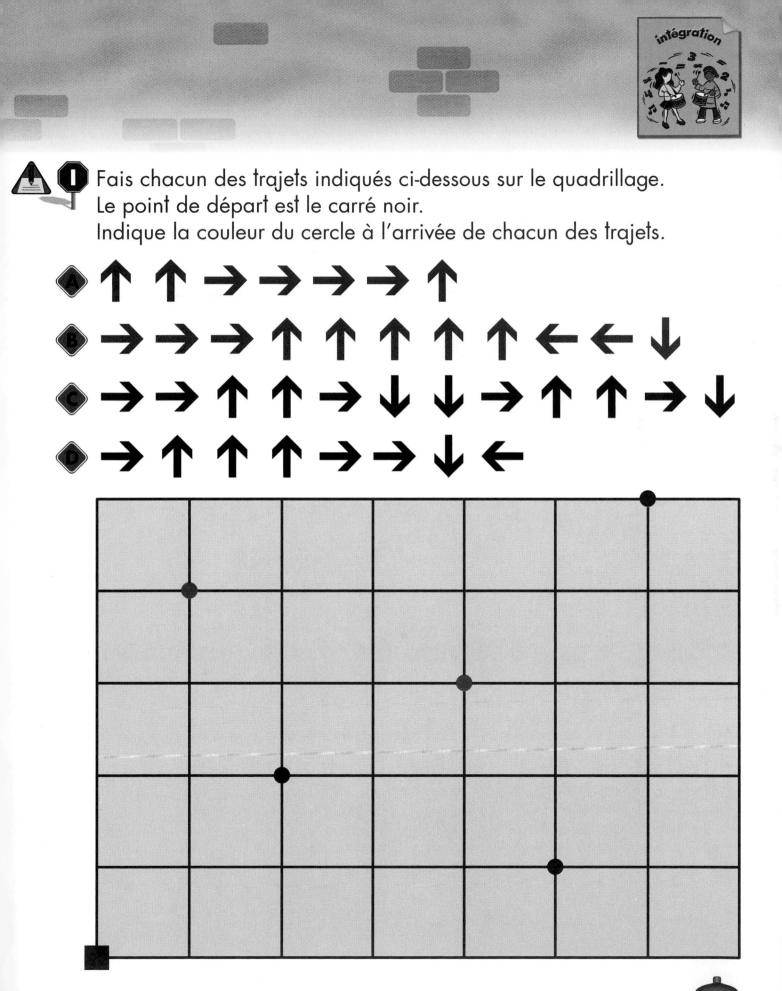

A ↑ ↑ → → → → ↑

B → → → ↑ ↑ ↑ ↑ ↑ ← ← ↓

C → → ↑ ↑ → ↓ ↓ → ↑ ↑ → ↓

D → ↑ ↑ ↑ → → ↓ ←

mise en situation

Observe l'illustration ci-dessous.
Elle représente 3 trajets qui permettent de se rendre à une souris.
Comment peux-tu procéder pour ordonner ces trajets du plus court au plus long ?

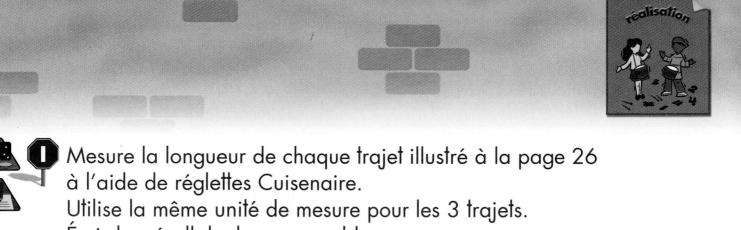

 1 Mesure la longueur de chaque trajet illustré à la page 26 à l'aide de réglettes Cuisenaire.
Utilise la même unité de mesure pour les 3 trajets.
Écris les résultats de mesure obtenus.

 2 **A** De quelle couleur est le trajet le moins long, à la page 26 ?

B De quelle couleur est le trajet le moins court, à la page 26 ?

 3 Découvre une autre réglette qui peut servir d'unité pour mesurer la longueur des 3 trajets à la page 26.
Écris les résultats de mesure obtenus.

4 Compare les résultats de mesure obtenus au numéro 1 avec ceux du numéro 3.
Que remarques-tu ?

  1 Hassan a tracé les lettres du mot TÊTU à l'aide de réglettes vert clair.

A Mesure la longueur de chaque lettre.
Écris les résultats de mesure obtenus.

B Combien de réglettes vert clair faut-il à Hassan pour écrire les lettres du mot TÊTE ?

C Combien de réglettes vert clair faut-il à Hassan pour écrire les lettres du mot ÉTÉ ?

 2 Estime le nombre de réglettes roses qu'il te faut pour tracer la première lettre de ton prénom.
Vérifie ton estimation en traçant cette lettre à l'aide de réglettes roses.

Les jeux d'Octave

Le jeu du restaurant

| Nombre d'élèves : 3 ou 4 | Matériel : un dé et des jetons |

Chaque élève utilise une couleur de jetons.

Un ou une élève du groupe joue le rôle d'arbitre.

Lorsque c'est ton tour :

- jette le dé ;
- place un jeton sur un hamburger qui porte une addition dans laquelle le nombre manquant correspond à la quantité obtenue sur le dé.

L'arbitre vérifie si l'addition est exacte.

Le jeu se termine lorsque tous les nombres manquants sont trouvés.

L'élève qui a placé le plus de jetons gagne la partie.

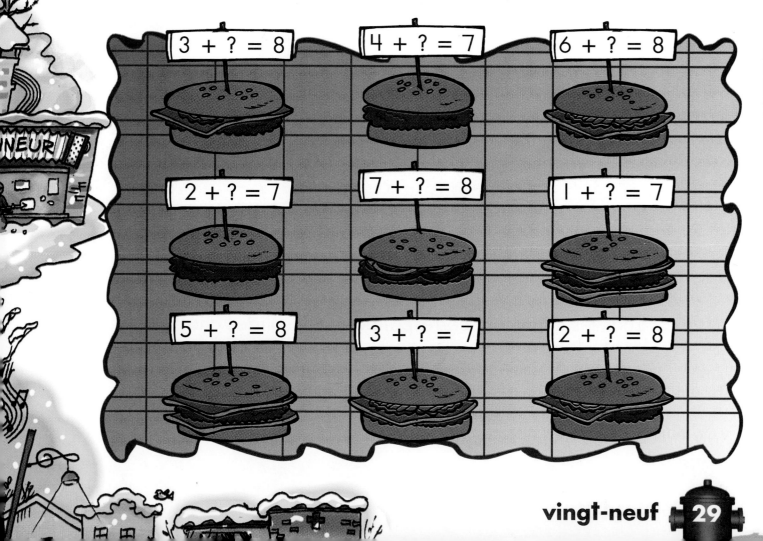

Écris tes réponses sur une feuille ou sur l'ardoise.
Utilise du matériel si tu en as besoin.

1

A Écris le nombre qui vient immédiatement avant 60.

B Écris le nombre qui se situe entre 49 et 51.

C Écris un nombre plus grand que 62 et plus petit que 66.

2 Quel nombre est représenté dans le tableau ci-contre?

Dizaine	Unité
● ● ● ●	● ● ● ● ● ● ●

3 Calcule mentalement les résultats des opérations ci-dessous.
Écris le résultat de chaque opération.

A $3 + 5 = ?$ **B** $8 - 6 = ?$ **C** $7 - 5 = ?$ **D** $4 + 3 = ?$

4 Parmi les solides illustrés ci-dessous, lesquels ont la même propriété qu'une boule ●?
Écris les lettres qui correspondent aux solides choisis.

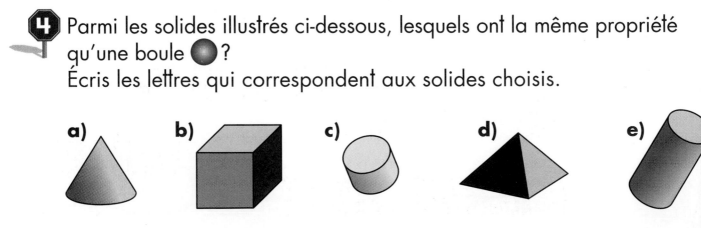

a)   b)   c)   d)   e)

5 Résous la situation ci-contre.
Utilise un dessin ou du matériel.
Écris une phrase mathématique.

Anna a 7 jetons dans sa main.
Il y a des jetons rouges et des jetons bleus.
Elle a moins de jetons rouges que de jetons bleus.

A Combien de jetons rouges Anna a-t-elle dans sa main ?

B Combien de jetons bleus Anna a-t-elle dans sa main ?

6 Fais le trajet suivant sur le quadrillage.
Le point de départ est le cercle noir.

De quelle couleur est le triangle à l'arrivée de ce trajet ?

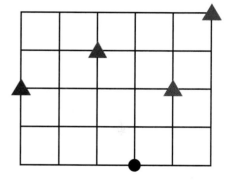

7 Mesure la longueur de chaque trajet illustré ci-dessous à l'aide de réglettes blanches.
De quelle couleur est le trajet le moins long ?

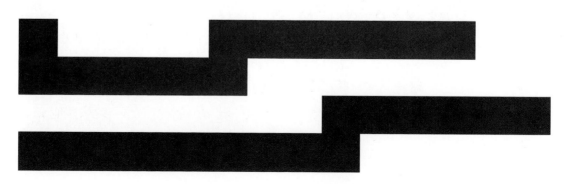

Leçon 36

mise en situation

Véronique et Xavier sont au cinéma.
Observe la disposition des sièges
dans cette salle.
Que remarques-tu ?

Combien de sièges sont occupés ?
Quel chiffre est à la position
des dizaines dans ce nombre ?

Combien de sièges sont libres ?
Quel chiffre est à la position
des unités dans ce nombre ?

Combien de dizaines de personnes
faudrait-il ajouter pour que
les sièges soient tous occupés ?

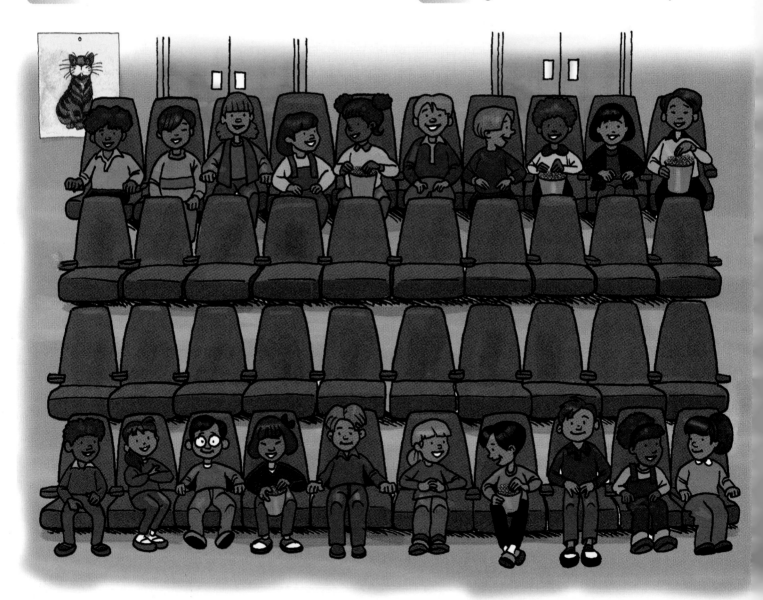

Choisis le numéro 1 ou le numéro 2.

1 **A** Prends autant de bâtonnets de bois qu'il y a de sièges sur l'illustration de la page 32.

B Forme des groupes de 10 bâtonnets.

C Enlève 3 bâtonnets.
Écris le nombre de bâtonnets qu'il te reste.
Souligne en rouge le chiffre à la position des dizaines.
Souligne en bleu le chiffre à la position des unités.

D Représente ce nombre de 3 façons différentes.
Utilise des bâtonnets de 2 couleurs différentes et un jeu de cartes.

2 **A** Prends 42 bâtonnets de bois.

B Ajoute 2 dizaines de bâtonnets.
Écris le nombre de bâtonnets que tu obtiens.
Souligne en rouge le chiffre à la position des dizaines.
Souligne en bleu le chiffre à la position des unités.

C Représente ce nombre de 3 façons différentes.
Utilise des bâtonnets de 2 couleurs différentes et un jeu de cartes.

Dans le nombre 45, le chiffre 4 est à la position des dizaines et le chiffre 5 est à la position des unités.

Dans le nombre 54, le chiffre 5 est à la position des dizaines et le chiffre 4 est à la position des unités.

| 54 > 45 | 45 < 54 |

Le jeu du serpent

Nombre d'élèves : 3 | Matériel : un dé, 2 pions et une feuille ou l'ardoise

Un ou une élève du groupe joue le rôle d'arbitre.

Les autres élèves écrivent un nombre entre 20 et 30 et placent leur pion sur la case **Départ**.

Lorsque c'est ton tour :

- jette le dé et avance ton pion sur les cases ;
- applique la consigne indiquée sur la case au dernier nombre que tu as écrit ;
- écris le nombre obtenu.

L'arbitre vérifie si le nombre convient.

L'élève qui atteint la case **Arrivée** avec le plus grand nombre gagne la partie.

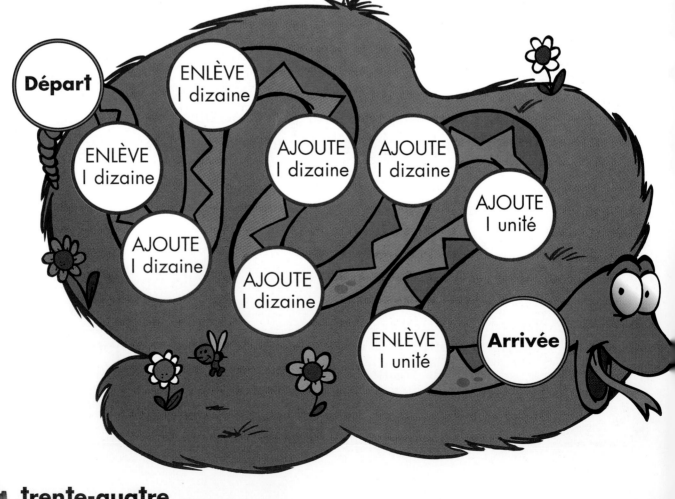

mise en situation

Corinne représente l'une des faces d'un solide sur un géoplan.
Quel est le nom de cette figure plane ?
Combien de côtés cette figure possède-t-elle ?
Quel objet ou quel solide possède une face semblable à celle-ci ?

Comment Corinne procédera-t-elle pour représenter
les autres faces de ce solide ?

  Représente 4 figures planes parmi celles décrites ci-dessous. Utilise un géoplan et une bande élastique, ou la feuille qu'on te remettra et une règle.

A Un carré qui touche seulement 12 tiges ou 12 points.

B Un rectangle qui touche seulement 8 tiges ou 8 points.

C Un triangle qui touche seulement 3 tiges ou 3 points.

D Un carré qui touche seulement 8 tiges ou 8 points.

E Un rectangle qui touche seulement 10 tiges ou 10 points.

F Un triangle qui touche seulement 4 tiges ou 4 points.

G Un triangle qui touche seulement 6 tiges ou 6 points.

1 Construis le cube sur la feuille qu'on te remettra.
Il te servira de dé pour l'activité ci-dessous.
Trace les figures planes à l'aide de solides.

- Jette le cube.
- Écris le nom inscrit sur la face obtenue.
- Choisis un solide qui te permettra de tracer cette figure.
- Trace le contour de cette figure sous le nom que tu as inscrit.
- Jette de nouveau le cube et trace d'autres figures planes.

2 Imagine un jeu à l'aide du cube que tu as construit au numéro 1.
Invite d'autres élèves à jouer avec toi.

Leçon 38

Observe le tableau ci-dessous.
Quels résultats d'additions es-tu capable de trouver facilement?

Quels moyens peux-tu utiliser pour découvrir les autres résultats?

+↱	0	1	2	3	4	5	6	7	8	9	10
0	?	?	?	?	?	?	?	?	?	?	?
1	?	?	?	?	?	?	?	?	?	?	
2	?	?	?	?	?	?	?	?	?		
3	?	?	?	?	?	?	?	?			
4	?	?	?	?	?	?	?				
5	?	?	?	?	?	?					
6	?	?	?	?	?						
7	?	?	?	?							
8	?	?	?								
9	?	?									
10	?										

1 Complète le tableau sur la feuille qu'on te remettra.
Utilise le moyen que tu préfères.

2 Compare les résultats inscrits sur ton tableau au numéro 1
avec ceux d'autres élèves.
Discute des moyens que tu peux utiliser pour calculer mentalement
les résultats de ces additions.

3 Écris les résultats des soustractions ci-dessous.
Utilise le tableau que tu as rempli au numéro 1.

(A) $10 - 6 = ?$ **(B)** $9 - 1 = ?$ **(C)** $10 - 3 = ?$

(D) $9 - 3 = ?$ **(E)** $10 - 2 = ?$ **(F)** $9 - 5 = ?$

(G) $10 - 0 = ?$ **(H)** $9 - 6 = ?$ **(I)** $10 - 8 = ?$

(J) $9 - 7 = ?$ **(K)** $10 - 1 = ?$ **(L)** $9 - 2 = ?$

(M) $10 - 5 = ?$ **(N)** $9 - 4 = ?$ **(O)** $10 - 7 = ?$

Je peux effectuer mentalement
une addition en utilisant
les « doubles ».

$$4 + 5 = 4 + 4 + 1$$
$$4 + 5 = 8 + 1$$
$$4 + 5 = 9$$

1 Le jeu des boutons

Nombre d'élèves : 4   **Matériel : des jetons, des cartes, un sac et une feuille ou l'ardoise**

Chaque élève utilise une couleur de jetons.

Un ou une élève du groupe joue le rôle d'arbitre.

Découpe les cartes sur la feuille qu'on te remettra.

L'arbitre met les cartes dans un sac.

Lorsque c'est ton tour :

- place un jeton sur un bouton ;
- tire une carte et montre-la à l'arbitre ;
- utilise les nombres sur la carte pour effectuer l'opération indiquée sur le bouton ;
- écris ta réponse sur une feuille.

L'arbitre vérifie si la réponse est exacte.

Le jeu se termine lorsque toutes les cartes sont tirées.

L'élève qui a le plus de jetons sur les boutons gagne la partie.

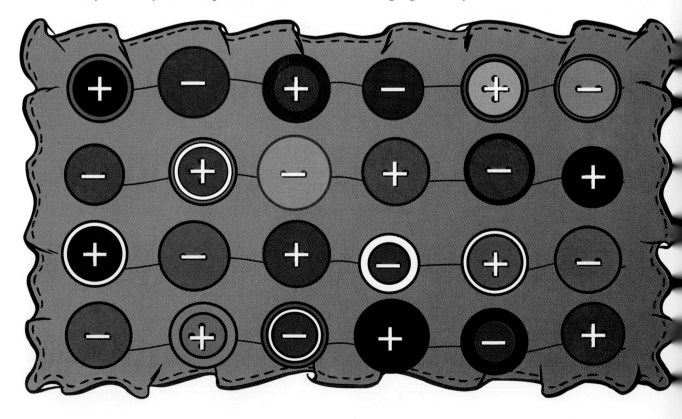

Leçon 39

Observe les illustrations ci-dessous.
À quelle saison chacune des illustrations peut-elle correspondre?

Combien de mois y a-t-il dans une année?
À quel mois de l'année chacune des illustrations peut-elle correspondre?

Sur quels objets peux-tu trouver les mois de l'année?

1 Ⓐ Découpe les 12 cartes sur la feuille qu'on te remettra.

Ⓑ Écris un mois différent sur chaque carte.

Ⓒ Indique le rang de chaque mois et le nombre de jours qu'il contient à l'endos des cartes.
Utilise un objet pour t'aider.

Ⓓ Ordonne les mois de l'année lorsque tu as terminé.

> Utilise ces cartes pour
> imaginer un jeu sur les mois de l'année.

2 Ⓐ Combien de mois de l'année ont plus de jours que le mois de juin ?

Ⓑ Combien de mois de l'année ont moins de jours que le mois de mars ?

Ⓒ Combien de mois de l'année ont plus de jours que le mois de février ?

3 Discute avec d'autres élèves d'un moyen pour mémoriser les mois de l'année et le nombre de jours qu'ils contiennent.

Je connais et j'ordonne les 12 mois de l'année.

Le jeu des mois de l'année

Nombre d'élèves : 3 ou 4   Matériel : 2 dés et des jetons

Un ou une élève du groupe joue le rôle d'arbitre.
Lorsque c'est ton tour :
- jette les dés ;
- additionne les quantités obtenues ;
- utilise ce résultat et nomme le mois de l'année qui correspond à ce rang.

L'arbitre vérifie si la réponse est exacte.
L'élève qui obtient une bonne réponse prend un jeton.
L'élève qui a le plus de jetons gagne la partie.

2 Les tableaux ci-dessous concernent les mois d'une année.
Trace un **✗** dans les cases qui conviennent.
Utilise la feuille qu'on te remettra.

A

vient avant ↗	Janvier	Avril	Décembre
Février			
Juillet			
Novembre			

B

vient après ↗	Mai	Août	Septembre
Mars			
Juin			
Octobre			

Frédéric veut se faire un sandwich.

C'est son mets préféré.

Il a le choix entre du pain blanc ou du pain brun.

Il peut garnir son pain de tranches de tomate ou de tranches de jambon.

Comment procéderais-tu pour trouver toutes les combinaisons de sandwichs que Frédéric peut faire ?

Connais-tu d'autres situations de la vie quotidienne où l'on peut faire des combinaisons ? Lesquelles ?

Choisis le numéro 1 ou le numéro 2.

 **A** Trouve toutes les combinaisons de sandwichs que Frédéric peut faire à la page 44.
Utilise un tableau ou un diagramme en arbre.

B Ajoute un choix de 2 garnitures supplémentaires à mettre dans le sandwich de Frédéric ; par exemple, de la laitue ou de la luzerne.
Trouve toutes les combinaisons de sandwichs que Frédéric peut maintenant faire.
Utilise un tableau ou un diagramme en arbre.

 2 Cassandre a mené une enquête auprès de 10 enfants. Elle a posé la question suivante à chacun d'eux : « Quel est ton sandwich préféré ? » Le tableau ci-contre indique les résultats de cette enquête. Utilise ces résultats pour compléter le diagramme à bandes sur la feuille qu'on te remettra.

	Poulet	Fromage	Oeufs
Carla	X		
Paulo			X
Zoé		X	
Vicky	X		
Louis	X		
Marc			X
Brenda		X	
Kevin	X		
Odile	X		
Didier			X

 Le tableau ci-dessous indique les combinaisons que l'on peut faire en enfilant une perle rose, bleue ou verte sur une ficelle rouge ou jaune. Combien de combinaisons peut-on faire ?

⤷	●	●	●
〜	●〜	●〜	●〜
〜	〜●	〜●	〜●

 Le diagramme en arbre ci-dessous permet de trouver les combinaisons que l'on peut faire quand on place une fleur blanche, rouge ou jaune sur un chapeau noir, vert ou bleu.

A Combien de combinaisons peut-on faire ?

B Dans combien de combinaisons utilise-t-on le chapeau noir ?

C Dans combien de combinaisons utilise-t-on une fleur rouge ?

Jasmine regarde son frère qui s'exerce à faire des noeuds dans une corde.
Quelle unité de mesure utiliserais-tu pour mesurer la longueur de cette corde ?
D'après toi, quelle est la longueur de cette corde ?
Y a-t-il d'autres unités de mesure que tu pourrais utiliser pour mesurer
la longueur de cette corde ? Lesquelles ?

D'après toi, cette corde est-elle plus courte ou plus longue que 1 mètre ?
De quelle façon peux-tu obtenir une longueur de 1 mètre ?

 1 Coupe une ficelle ou une corde de 1 mètre de longueur.
Respecte les consignes suivantes.

- Découpe les 5 bandes sur la feuille qu'on te remettra.
- Place ces bandes bout à bout pour obtenir une longueur de 1 mètre.
- Coupe la ficelle ou la corde de la longueur qui convient.

2 Utilise la ficelle ou la corde obtenue au numéro 1.
Dessine ou écris le nom des objets trouvés.

A Trouve 2 objets qui ont une hauteur d'environ 1 mètre.

B Trouve 2 objets qui ont une longueur plus courte que 1 mètre.

C Trouve 2 objets qui ont une longueur plus longue que 1 mètre.

Je peux représenter
une longueur de 1 mètre à l'aide
de mes bras.

1 **A** Découvre une autre unité de mesure qui peut recouvrir 1 mètre.

B Combien d'unités faut-il mettre bout à bout pour obtenir cette longueur ?

C Compare l'unité que tu as trouvée avec celles d'autres élèves.

Choisis le numéro 2 ou le numéro 3.

2 Lison doit couper un ruban de 2 mètres de longueur pour emballer un cadeau. De quelle façon Lison peut-elle procéder pour obtenir cette longueur ? Discute avec d'autres élèves des différentes façons de procéder.

3 Éric doit couper un ruban bleu plus court que 1 mètre et un ruban vert plus long que 1 mètre. De quelle façon Éric peut-il procéder pour obtenir ces longueurs ? Discute avec d'autres élèves des différentes façons de procéder.

André doit tondre 9 animaux aujourd'hui.
Il y a plus de chiens que de chats à tondre.
Combien de chiens André doit-il tondre aujourd'hui ?
Combien de chats doit-il tondre aujourd'hui ?

Quelle opération mathématique dois-tu faire pour trouver ces réponses ?
Comment dois-tu procéder ?
Combien de réponses différentes peux-tu trouver ?

Résous les situations suivantes.
Fais un dessin ou utilise du matériel.
Écris une phrase mathématique.

1 André a tondu 3 petits chiens et 4 grands chiens hier.
Il a aussi tondu autant de chats que de chiens.
Combien de chats André a-t-il tondus hier ?

2 Le tableau suivant indique le nombre d'animaux qu'André
doit tondre demain.
Utilise ce tableau pour répondre aux questions ci-dessous.

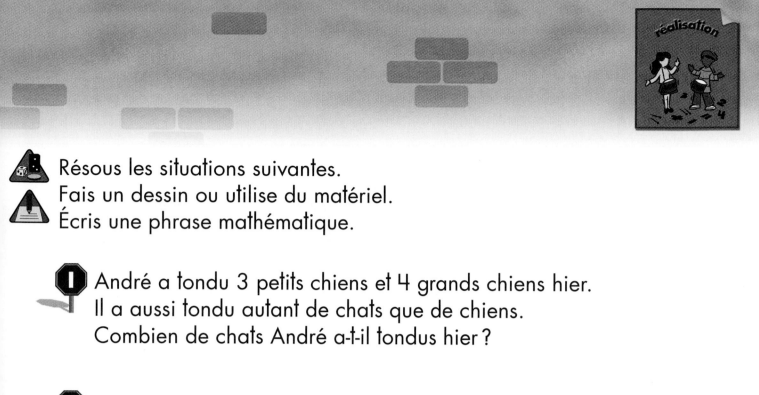

		Avant-midi	Après-midi	Soir
Chien		4	3	1
Chat		2	2	2

A Combien de chats André tondra-t-il demain ?

B Combien de chiens André tondra-t-il demain ?

C Combien de chiens de plus que de chats André tondra-t-il demain ?

D Combien d'animaux André tondra-t-il l'après-midi ?

1 Voici les cartes que Guy, Tania, Bob et Léa ont tirées d'un jeu.

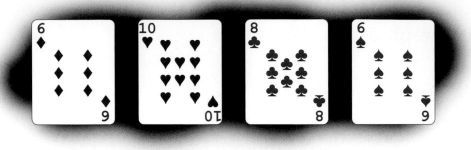

Guy a tiré une carte qui a la même valeur que celle de Tania.
Bob a tiré la carte qui a la plus grande valeur.
Quelle carte Léa a-t-elle tirée ?

2 Marion tire 2 cartes d'un jeu de cartes.
Ces cartes ne sont pas de couleur rouge.
Ces cartes ont un résultat de 10 quand on additionne les nombres qui y sont inscrits.
Quelles cartes Marion a-t-elle tirées ?
Choisis-les parmi les cartes ci-dessous.
Trouve 2 réponses possibles.

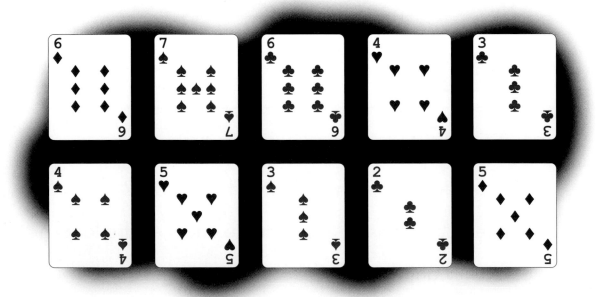

Les jeux d'Octave

Le jeu du cordonnier

Nombre d'élèves : 2 | Matériel : un jeu de cartes et des jetons

Chaque élève utilise une couleur de jetons.
Il faut brasser 40 cartes, de l'as au 10, et remettre 20 cartes
à chaque élève.
Les cartes sont placées en pile, face cachée, devant chaque élève.
Lorsque c'est ton tour :
- retourne 2 cartes sur le dessus de la pile ;
- soustrais les nombres représentés sur ces cartes ;
  le premier nombre de la soustraction est le nombre le plus grand ;
- place un jeton sur un soulier qui porte le résultat de la soustraction.
Le jeu se termine lorsqu'il n'y a plus de cartes ou de souliers.
L'élève qui a placé le plus de jetons gagne la partie.

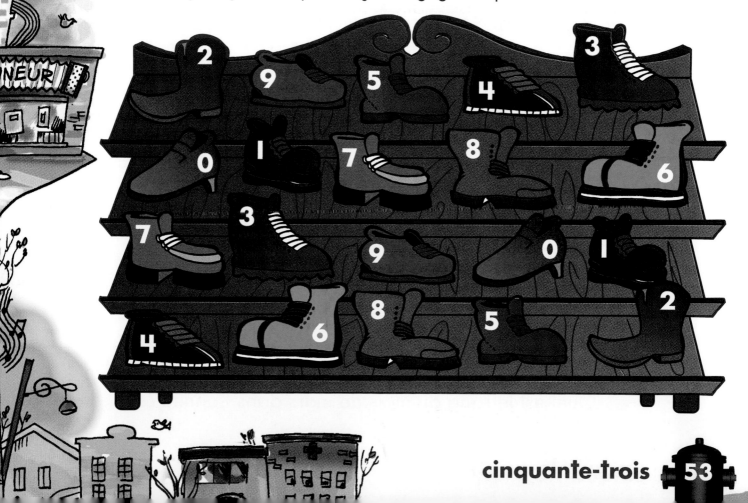

Au diapason 6

Écris tes réponses sur une feuille ou sur l'ardoise.

Utilise du matériel si tu en as besoin.

1 Quel chiffre est à la position des dizaines dans chacun des nombres suivants ?

 56   43   65   34

2 Joël a tracé des figures planes sur du papier pointé.
Laquelle de ces figures est un carré ?
Écris la lettre qui correspond à la figure choisie.

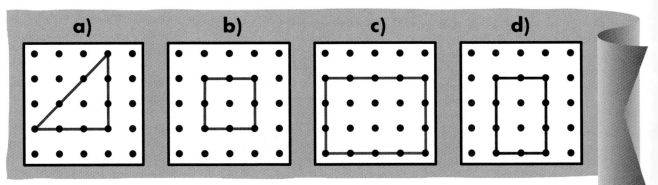

a)   b)   c)   d)

3 Calcule mentalement les résultats des opérations ci-dessous.
Écris le résultat de chaque opération.

A 7 + 3 = ?   **B** 9 − 2 = ?   **C** 10 − 6 = ?   **D** 5 + 4 = ?

4 **A** Quel mois vient immédiatement après le mois de mai ?

B Quel est le rang du mois de mars dans l'année ?

5 Barbara a commis une erreur
en indiquant dans un tableau
les combinaisons entre un pantalon bleu
ou rouge et un chandail jaune ou rose.
Quelle erreur Barbara a-t-elle commise?
Indique la couleur de la case choisie.

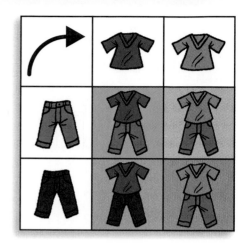

6 Quel objet illustré ci-dessous a une hauteur d'environ 1 mètre
dans la réalité?
Écris la lettre qui correspond à l'objet choisi.

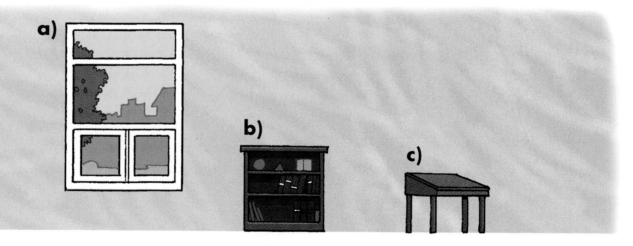

a)

b)

c)

7 Résous la situation ci-dessous.
Utilise un dessin ou du matériel et écris une phrase mathématique.

Il y a 4 pommes et 5 bananes dans un panier bleu.
Il y a autant de fruits dans un panier blanc
que dans le panier bleu.
Combien de fruits y a-t-il dans le panier blanc?

♫ Les trésors de la ville de CONCERTO ♫

 Écris tes réponses sur une feuille ou sur l'ardoise.
Utilise du matériel si tu en as besoin.

1 Utilise le plus petit nombre inscrit sur l'une des étiquettes
dans la vitrine de ce magasin.

SOLDE

67 $ 63 $ 58 $

A Quel chiffre est à la position des unités dans ce nombre ?

B Quel nombre vient immédiatement avant ce nombre ?

C Quels sont les 3 nombres qui viennent après ce nombre ?

2 Quelles opérations ont le même résultat
que l'addition inscrite sur le poteau ?
Écris les lettres qui correspondent à tes choix.

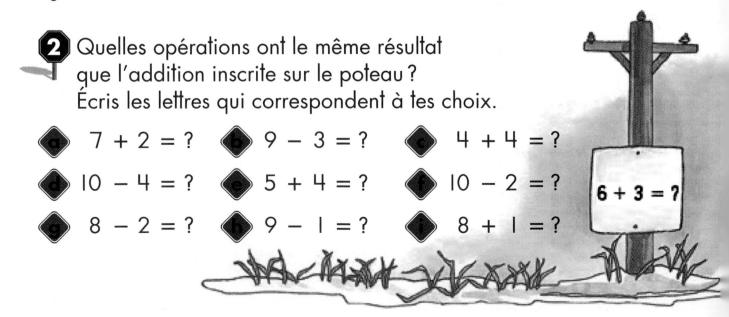

a 7 + 2 = ?   **b** 9 − 3 = ?   **c** 4 + 4 = ?

d 10 − 4 = ?   **e** 5 + 4 = ?   **f** 10 − 2 = ?

g 8 − 2 = ?   **h** 9 − 1 = ?   **i** 8 + 1 = ?

6 + 3 = ?

3 Combien d'animaux y a-t-il à vendre dans cette annonce ?

À vendre
2 chatons gris,
3 chatons noirs
et 4 chiots

4 Quels solides permettent de tracer les figures planes qui forment le sigle de cette entreprise ? Indique la couleur de la figure et la lettre du solide qui convient.

a)

b)

c)

d)

5 Quels sont les 3 mois qui viennent après le mois indiqué sur ce calendrier ?

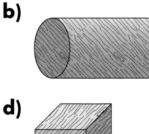

AVRIL
30

La maison de la calculatrice

Est-il possible de réciter les nombres à rebours à l'aide de la calculatrice ?

Nombre d'élèves : 2   Matériel : une calculatrice

Les élèves doivent commencer en même temps.
Un ou une élève récite à voix haute les nombres de 69 à 40.
L'autre élève inscrit ces nombres sur la calculatrice.
Il ou elle utilise la séquence de touches indiquées ci-dessous.

6 → 9 → − → 1 → = → = → = → = → = → = → = ...

Quel ou quelle élève a récité ces nombres le plus rapidement ?

Recommence l'activité en récitant les nombres de 68 à 40 par bonds de 2.
Trouve la séquence de touches sur lesquelles tu dois appuyer.

Recommence l'activité en récitant les nombres de 60 à 40 par bonds de 4.
Trouve la séquence de touches sur lesquelles tu dois appuyer.

**Réalise les activités ci-dessous
à l'aide d'un ordinateur.**

La maison
de l'ordinateur

1 Construis une droite numérique qui représente
des nombres plus grands que 50 et plus petits que 69.

----

2 Représente une addition de 3 nombres.
Écris la phrase mathématique qui
correspond à cette représentation.

----

3 Reproduis des figures planes semblables
à celles ci-dessous.
Représente toutes les combinaisons
de 2 figures que tu peux faire.

Le Moyen Âge

 Réalise un sketch avec d'autres élèves.

- Présente une situation mathématique dont le thème est le Moyen Âge et ses personnages célèbres.

- Écris le scénario de ton sketch et la situation mathématique présentée.
  Utilise des termes mathématiques.

- Fabrique les costumes et les accessoires en utilisant des solides géométriques et des figures planes.

- Présente ton sketch et fais résoudre ta situation.

mise en situation

Hélène envoie une lettre à son grand-père.
Quel nombre voit-on sur l'adresse ?

Quels sont les 5 nombres qui viennent avant ce nombre ?
Récite ces nombres en ordre décroissant.

Quels sont les 10 nombres qui viennent après ce nombre ?
Récite ces nombres en ordre croissant.

 1 Écris l'adresse des 10 voisins qui habitent du même côté de la rue que le grand-père d'Hélène.
Respecte les consignes suivantes.

- Ces nombres sont plus grands que celui de l'adresse du grand-père.
- Tu dis ces nombres lorsque tu comptes par bonds de 2 jusqu'à 100.

 2 Écris l'adresse de 10 voisins qui habitent de l'autre côté de la rue. Ces nombres viennent immédiatement avant et immédiatement après 5 nombres inscrits au numéro 1.

 Choisis le numéro 3 ou le numéro 4.

 3 Choisis 2 nombres parmi ceux que tu as écrits aux numéros 1 et 2. Compare ces nombres en utilisant les signes < ou >.

4 Utilise les nombres que tu as écrits aux numéros 1 et 2. Choisis 4 nombres qui ont une ressemblance et écris-les. Invite une ou un élève à trouver cette ressemblance.

J'écris les nombres de 69 à 99 en ordre décroissant sur une droite numérique.

99	98	97	96	95	94	93	92	91	90	89	88	87	86	85	84	83	82	81	80

① Le jeu du plus grand au plus petit

| Nombre d'élèves : 3 ou 4 | Matériel : des bouts de papier et un sac |

Les élèves écrivent chacun des nombres de 70 à 99 sur un bout de papier.
Ils et elles placent les bouts de papier dans un sac.
Un ou une élève joue le rôle d'arbitre.
Lorsque c'est ton tour :
• tire 5 bouts de papier ;
• place ces nombres en ordre décroissant.
L'arbitre vérifie le résultat.
Si l'ordre est exact, l'élève garde les bouts de papier tirés, sinon il ou elle les remet dans le sac.
Le jeu se termine lorsque tous les bouts de papier ont été tirés.
L'élève qui en a le plus gagne la partie.

② Trace les flèches dans le diagramme ci-dessous.
Respecte la relation indiquée.
Utilise la feuille qu'on te remettra.

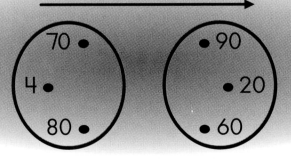

... a plus de dizaines que...

70 •   • 90

4 •   • 20

80 •   • 60

③ Écris 3 nombres de deux chiffres.
Le chiffre à la position des unités doit être plus grand que le chiffre à la position des dizaines.

mise en situation

Suzie et Carlos ont imaginé un jeu.

Ils utilisent un dé sur lequel on retrouve les nombres de 0 à 5.

Suzie dit un nombre de 0 à 10 et jette le dé.

Carlos doit trouver le nombre à ajouter ou à enlever à celui du dé pour obtenir le résultat dit par Suzie.

Observe l'illustration.

Quelle réponse Carlos doit-il donner ?

Le jeu de Suzie et Carlos

Nombre d'élèves : 3   Matériel : la feuille qu'on te remettra
et des jetons

Construis le dé sur la feuille qu'on te remettra.

Un ou une élève du groupe joue le rôle d'arbitre.

L'arbitre dit un nombre de 0 à 10 à chaque tour.

Ce nombre est le résultat de l'opération à effectuer.

Lorsque c'est ton tour :

• jette le dé ;

• utilise le nombre obtenu et dis une opération qui convient au résultat.

L'arbitre vérifie l'opération.

Si elle est correcte, l'arbitre remet un jeton à l'élève.

L'élève qui a le plus de jetons gagne la partie.

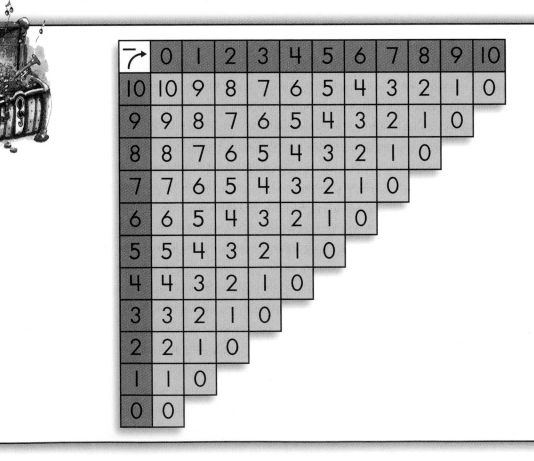

↱	0	1	2	3	4	5	6	7	8	9	10
10	10	9	8	7	6	5	4	3	2	1	0
9	9	8	7	6	5	4	3	2	1	0	
8	8	7	6	5	4	3	2	1	0		
7	7	6	5	4	3	2	1	0			
6	6	5	4	3	2	1	0				
5	5	4	3	2	1	0					
4	4	3	2	1	0						
3	3	2	1	0							
2	2	1	0								
1	1	0									
0	0										

 1 Trouve les signes + ou − et les nombres qui manquent ci-dessous.
Utilise du matériel si tu en as besoin.
Écris les additions et les soustractions qui conviennent.

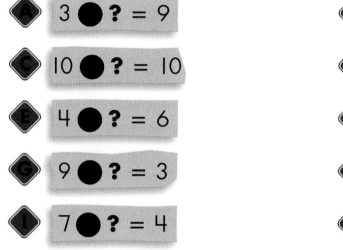

A $3 \bullet ? = 9$

B $8 \bullet ? = 3$

C $10 \bullet ? = 10$

D $? \bullet 7 = 8$

E $4 \bullet ? = 6$

F $8 \bullet ? = 10$

G $9 \bullet ? = 3$

H $? \bullet 6 = 10$

I $7 \bullet ? = 4$

J $10 \bullet ? = 3$

 2 Trace 7, 8, 9 ou 10 points.
Écris le nombre de points tracés.
Cache un ou des points à l'aide d'une feuille.
Invite un ou une élève à découvrir le nombre de points cachés.

Deux.

Maxime a découpé les faces d'une boîte.
À quel solide cette boîte ressemblait-elle ?
Combien de faces ce solide possède-t-il ?

Connais-tu un autre solide qui porte le même nom mais qui est différent ?
Lequel ?
Quelle différence y a-t-il entre les bases de ces solides ?

- Utilise 2 boîtes qui ont la forme de prismes.
  Indique par un point bleu les bases de ces prismes.
- Découpe les faces de ces boîtes.
- Écris les caractéristiques de chacune de ces faces.
  Choisis-les parmi celles ci-dessous.

carré

rectangle

triangle

3 côtés

4 côtés

- Reconstruis les boîtes à l'aide de ruban adhésif.

1 Complète le tableau sur la feuille qu'on te remettra.
Utilise les solides illustrés ci-dessous.

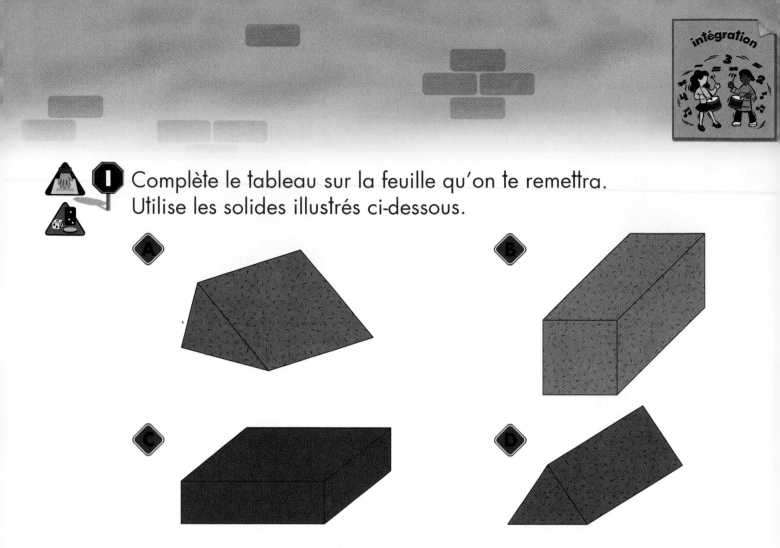

2 Quel solide l'ensemble des faces illustrées ci-dessous permet-il de construire ?
Choisis ce solide parmi ceux illustrés au numéro 1.

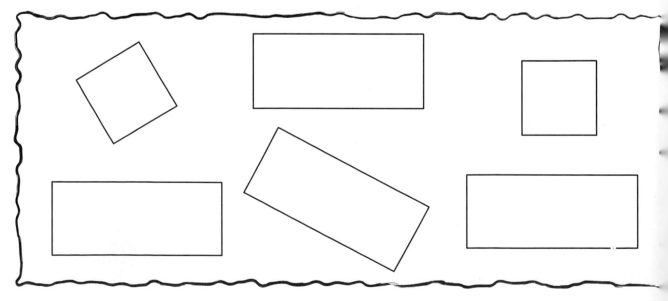

Rose-Marie a réalisé un collage à l'aide de figures planes.
D'après toi, comment a-t-elle procédé pour construire ces figures ?

Comment peut-elle procéder pour vérifier si des figures sont identiques ?

De quelle façon procéderais-tu pour reproduire le collage de Rose-Marie ?

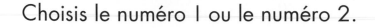

Choisis le numéro 1 ou le numéro 2.

 1 Réalise un collage à l'aide de carrés, de rectangles, de cercles et de triangles.
Respecte les consignes suivantes.
- Utilise plus de triangles que de carrés.
- Utilise autant de rectangles que de cercles.

2 Réalise un collage à l'aide de carrés, de rectangles, de cercles et de triangles.
Respecte les consignes suivantes.
- Utilise moins de rectangles que de cercles.
- Utilise autant de triangles que de carrés.

3 Compare ton collage avec celui d'autres élèves.

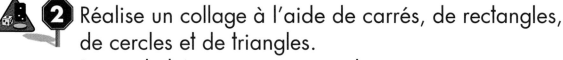

A Compare le nombre de figures planes utilisées.

B Compare la forme et la grandeur des figures planes utilisées.

- Découpe les figures planes sur la feuille qu'on te remettra.
- Utilise-les pour reproduire les figures illustrées ci-dessous.

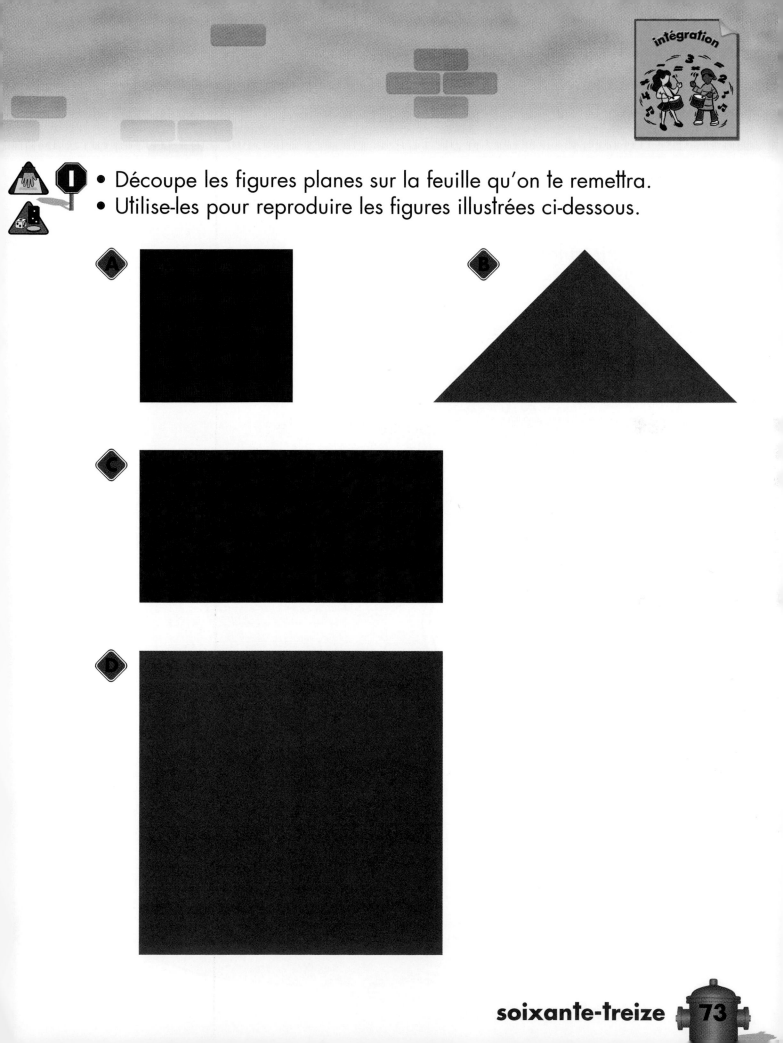

Leçon 47

Observe les pièces de monnaie que Laurent dépose dans sa tirelire.
Combien d'argent Laurent dépose-t-il dans sa tirelire ?

Peux-tu obtenir autant d'argent que Laurent en utilisant 2 pièces de monnaie ?
Lesquelles ?

Peux-tu obtenir autant d'argent que Laurent en utilisant 4 pièces de monnaie ?
Lesquelles ?

1 Laurent a déposé des pièces de monnaie dans sa tirelire
4 fois cette semaine.
Ces pièces sont illustrées ci-dessous.
Combien d'argent Laurent a-t-il déposé chaque fois ?
Écris l'addition qui convient à chaque jour.

A Lundi : 5¢ 1¢ 1¢ 1¢ 1¢ 1¢

B Mercredi : 10¢ 10¢

C Vendredi : 10¢ 5¢

D Samedi : 1¢ 1¢ 1¢ 1¢ 1¢ 1¢

2 Dessine un ensemble de pièces équivalent à celui que Laurent
a déposé chaque jour.
Utilise une quantité de pièces différente de celle de Laurent.
Écris l'addition qui convient à chaque ensemble de pièces.

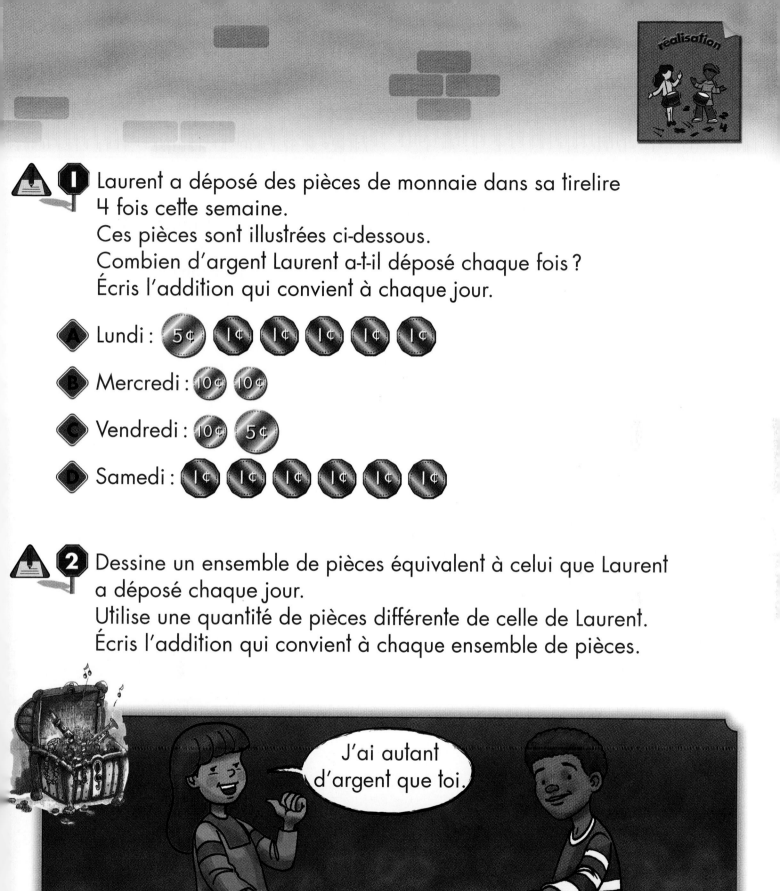

J'ai autant
d'argent que toi.

Le jeu des tirelires

Nombre d'élèves : 3   Matériel : des cartes, des jetons et un sac

Les élèves découpent les cartes sur la feuille qu'on leur remettra
et les placent dans un sac.

Un ou une élève du groupe joue le rôle d'arbitre.

Lorsque c'est ton tour :

• tire une carte ;

• place cette carte sur la tirelire qui convient.

L'arbitre vérifie le résultat.

S'il est exact, l'élève laisse la carte sur la tirelire et il ou elle prend un jeton.

S'il est inexact, l'arbitre remet la carte dans le sac.

Le jeu se termine lorsque toutes les cartes ont été tirées.

L'élève qui a le plus de jetons gagne la partie.

Leçon 48

Colin habite une ferme.
Il s'occupe de 10 animaux.
Ce sont des poules et des lapins.
Il y a plus de poules que de lapins.
Combien de poules Colin a-t-il ?
Combien de lapins Colin a-t-il ?
Quelles sont toutes les réponses possibles ?

 Résous les situations suivantes.

 Fais un dessin ou utilise du matériel.

 Écris une phrase mathématique.

1 Il y a 9 chèvres à la ferme de Colin.
Elles sont blanches ou noires.
Il y a moins de chèvres noires que de chèvres blanches.

A Combien de chèvres blanches y a-t-il ?

B Combien de chèvres noires y a-t-il ?

2 Le tableau ci-dessous indique le nombre de vaches et de chevaux
à la ferme de Colin.

Vaches	Chevaux
6	2

A Combien de chevaux faudrait-il ajouter pour qu'il y en ait autant
que de vaches ?

B Combien de vaches et de chevaux y a-t-il au total ?

C Colin aimerait que son père vende 2 vaches pour acheter un cheval.
Combien de vaches resterait-il à la ferme de Colin après cette vente ?

D Combien de chevaux y aurait-il à la ferme de Colin après cet achat ?

Le diagramme ci-dessous indique le nombre d'animaux sur une ferme.
Utilise-le pour trouver les réponses aux questions ci-dessous.
Laisse les traces de tes démarches.

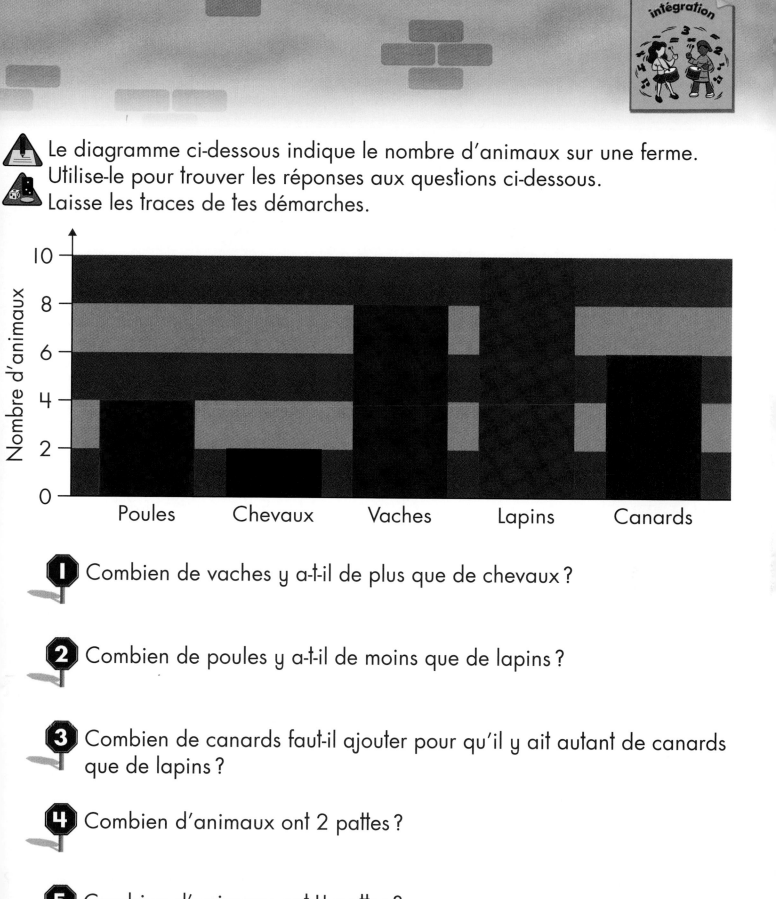

1 Combien de vaches y a-t-il de plus que de chevaux ?

2 Combien de poules y a-t-il de moins que de lapins ?

3 Combien de canards faut-il ajouter pour qu'il y ait autant de canards que de lapins ?

4 Combien d'animaux ont 2 pattes ?

5 Combien d'animaux ont 4 pattes ?

Albert a planté une graine de haricot hier.

Il a dessiné une fleur sur un calendrier vis-à-vis la journée où il a planté cette graine.

Quelle journée de la semaine a-t-il planté cette graine ?

Quelle journée est-ce pour lui aujourd'hui ?

À quelle période de la semaine ces journées correspondent-elles ?

Des feuilles vont apparaître 7 jours après la plantation de la graine.

Quelle journée de la semaine Albert verra-t-il des feuilles apparaître ?

- Découpe une semaine sur une page de calendrier mensuel.
- Écris les jours de la semaine dans les cases qui conviennent.
- Découpe chaque case et place-les dans une enveloppe.

A Tire un papier et réponds à chacune des questions suivantes.
- Quelle journée vient immédiatement avant cette journée ?
- Quelle journée vient immédiatement après cette journée ?

B Tire 2 papiers et réponds à chacune des questions suivantes.
- Quel est l'ordre de ces journées ?
- Quelles journées viennent entre ces deux journées ?

C Tire 4 papiers et réponds à chacune des questions suivantes.
- Quel est l'ordre de ces journées ?
- Quelles journées reste-t-il dans l'enveloppe ?

Il y a 7 jours dans une semaine.
La semaine commence le dimanche.

Si aujourd'hui c'est mardi, hier c'était lundi et demain ce sera mercredi.

Dimanche	Lundi	Mardi	Mercredi	Jeudi	Vendredi	Samedi

 1 Trace un tableau semblable à celui ci-dessous.
Complète-le en utilisant une page de calendrier mensuel.

Mois de _____							
	D	**L**	**M**	**M**	**J**	**V**	**S**
Nombre de							

2 Caroline est partie samedi pour un voyage d'une semaine avec sa famille.
Elle a dessiné les activités qu'elle a faites au cours de ce voyage.
Replace en ordre les dessins de Caroline.

a)

Nous sommes allés à la plage le vendredi.

b)

Nous sommes allés faire de la bicyclette le dimanche.

c)

Nous sommes allés faire de l'équitation le mercredi.

Les jeux d'Octave

Le jeu du salon de coiffure

Nombre d'élèves : 3 ou 4

Matériel : 3 ou 4 pions, un dé, un sac, des jetons et des bouts de papier

Les élèves écrivent chaque jour de la semaine sur un bout de papier.
Ils et elles placent les bouts de papier dans un sac.
Les élèves placent leurs pions sur la première journée du mois.
Lorsque c'est ton tour :
- jette le dé et avance ton pion sur les cases selon le résultat obtenu ;
- tire un bout de papier ;
  si la journée tirée correspond à celle où se trouve le pion, prends un jeton,
  sinon recule ton pion de 3 journées ;
- si ton pion se trouve sur une journée où le salon est fermé, prends un jeton ;
- remets le bout de papier dans le sac.

Le jeu se termine lorsqu'un ou une élève atteint la dernière journée du mois.
L'élève qui a le plus de jetons gagne la partie.

SALON DE COIFFURE

D	L	M	M	J	V	S
			1	2	3	4
5 FERMÉ	6 FERMÉ	7	8	9	10	11
12 FERMÉ	13 FERMÉ	14	15	16	17	18
19 FERMÉ	20 FERMÉ	21	22	23	24	25
26 FERMÉ	27 FERMÉ	28	29	30	31	

Écris tes réponses sur une feuille ou sur l'ardoise.
Utilise du matériel si tu en as besoin.

 1 Écris en chiffres les nombres qu'on te dictera.

2 Écris les nombres qui manquent dans les additions suivantes.

A 4 + ? = 9   **B** 2 + ? = 8

C ? + 5 = 7   **D** 3 + ? = 10

3 Parmi les solides illustrés ci-dessous, lequel est un prisme qui a une base en forme de triangle ?

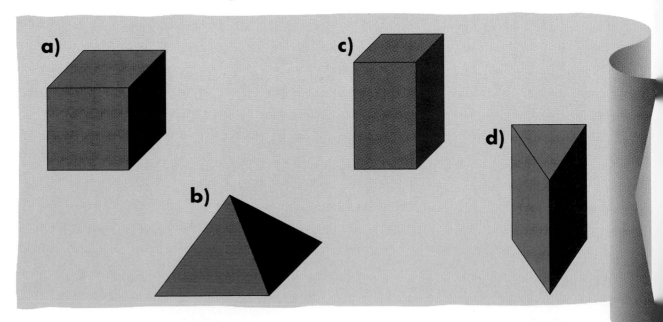

a)

c)

d)

b)

4 Lequel des dessins ci-dessous contient autant de rectangles que de cercles ?

a)

b)

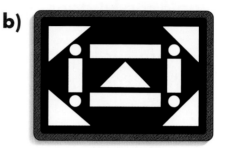

5 Combien d'argent y a-t-il en tout dans cet ensemble de pièces ?

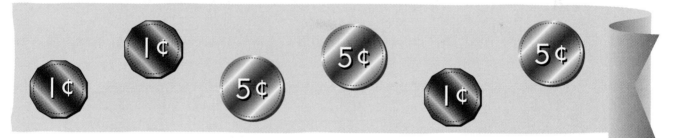

6 Résous la situation ci-contre.
Utilise un dessin ou du matériel et écris une phrase mathématique.

Il y a 8 vaches et 2 chevaux dans un champ.
Combien d'animaux ont 4 pattes dans ce champ ?

7 **A** Quelle journée vient immédiatement avant jeudi ?

B Combien de jours y a-t-il dans une semaine ?

C Quelle journée vient immédiatement après lundi ?

mise en situation

Des chandails d'une équipe de soccer sont suspendus sur une corde à linge.
Observe les nombres sur les chandails suspendus.
Quelle régularité y a-t-il dans cette suite de nombres ?

Quel est le nombre sur le premier chandail qui a été suspendu ?
Quel est le nombre sur le dernier chandail qui a été suspendu ?

Quel est le nombre sur le prochain chandail qui sera suspendu ?

Choisis le numéro 1 ou le numéro 2.

1
- Construis une grille des nombres de 1 à 100 sur la feuille qu'on te remettra.
- Place 5 jetons sur des nombres de cette grille.
  Respecte une régularité dans cette suite de nombres.
- Enlève un jeton.
- Invite une ou un élève à trouver la règle que tu as utilisée et le nombre qui manque dans cette suite de nombres.
- Recommence l'activité en construisant une autre suite de 5 nombres.

2
- Construis une grille des nombres de 1 à 100 sur la feuille qu'on te remettra.
- Place 10 jetons sur des nombres de cette grille.
  Respecte une régularité dans cette suite de nombres.
- Enlève 4 jetons : au début, au milieu et à la fin de la suite de nombres.
- Invite une ou un élève à trouver la règle que tu as utilisée et les nombres qui manquent dans cette suite de nombres.
- Recommence l'activité en construisant une autre suite de 10 nombres.

Je peux construire une suite de nombres
en respectant une régularité.
Je compte par 2, en avançant, si j'utilise la règle « + 2 ».
2, 4, 6, 8, 10, ...

 1 Les arrangements de petits cubes illustrés ci-dessous respectent une régularité.

Construis les arrangements qui manquent.

Respecte la régularité.

  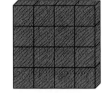 ? ?

 **2** La suite de nombres ci-dessous respecte une régularité.

Écris les nombres qui manquent dans cette suite.

| 50 | 45 | 40 | 35 | ? | 25 | ? | ? |

3 Le jeu du 72

Nombre d'élèves : 4 ou 5   Matériel : des jetons, un dé et
une feuille ou l'ardoise

Un ou une élève du groupe joue le rôle d'arbitre.

Le but du jeu est d'écrire une suite de 4 nombres en respectant une régularité.

Le nombre de départ est toujours 72.

La règle est « + » suivi du nombre obtenu sur le dé.

Lorsque c'est ton tour :

• jette le dé ;

• écris la suite de nombres qui convient.

L'arbitre vérifie la suite. Si elle est correcte, l'arbitre remet un jeton.

L'élève qui a le plus de jetons gagne la partie.

 88 **quatre-vingt-huit**

Leçon 51

mise en situation

Laurie a représenté le nombre 66 à l'aide de réglettes Cuisenaire.
Quelle addition correspond à cette représentation ?

 Peux-tu représenter ce nombre à l'aide d'autres matériels ?
De quelle façon procéderas-tu ?

1 Choisis un nombre entre 70 et 100.
Représente ce nombre de 3 façons différentes.
Utilise du matériel, un dessin et une addition.

2 Utilise des jetons de deux couleurs différentes.
Donne la valeur 10 à une couleur et la valeur 1 à l'autre couleur.
Représente le nombre 32 de 4 façons différentes.
Écris l'addition qui correspond à chaque représentation
que tu as trouvée.

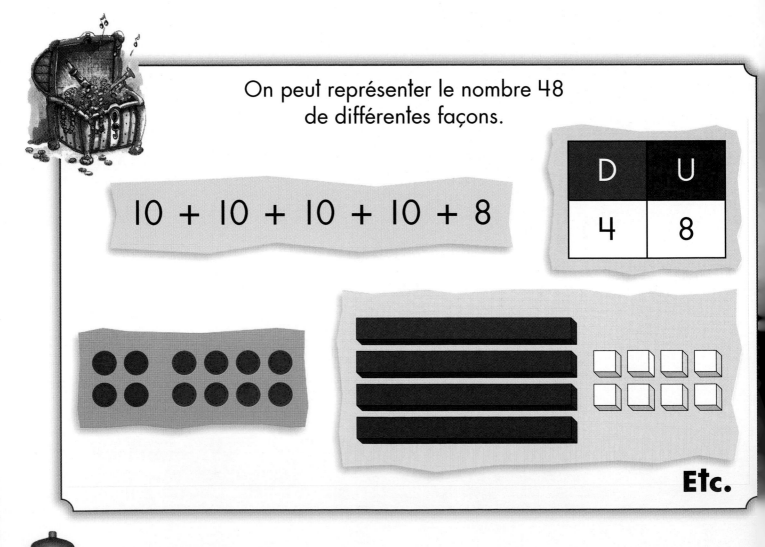

On peut représenter le nombre 48
de différentes façons.

10 + 10 + 10 + 10 + 8

D	U
4	8

Etc.

Le jeu du 99

Nombre d'élèves : 3 ou 4

Matériel : des pions, des jetons rouges et bleus et un dé

Un ou une élève du groupe joue le rôle d'arbitre.

Un jeton rouge a une valeur de 10 et un jeton bleu a une valeur de 1.

Les élèves placent leurs pions sur la case **Départ**.

Lorsque c'est ton tour :

• jette le dé ;

• avance ton pion sur les cases du jeu selon le nombre obtenu.

L'arbitre remet les jetons indiqués sur la case.

La première personne qui obtient une valeur totale de 99 avec ses jetons gagne la partie.

Écoute ou lis la bande dessinée.
De quelle façon le garçon peut-il trouver la réponse?
Quelle phrase mathématique peut convenir à cette situation?

1 Fais comme les enfants à la page 92.
Mime des situations avec un ou une élève.
Chaque situation doit convenir à l'une des phrases mathématiques suivantes.

A 3 + ? = 7   **B** 8 + ? = 10

C 5 + ? = 9   **D** ? + 6 = 10

E ? + 7 = 9   **F** ? + 1 = 9

2 Imagine des situations semblables à celle de la page 92.
Écris la phrase mathématique qui convient à chaque situation.

Pour trouver le nombre
qui manque dans l'addition 3 + ? = 9, je peux :
• réciter les nombres 4, 5, 6, 7, 8, 9
et compter la quantité totale de nombres que j'ai dits
ou
• faire la soustraction 9 − 3 = 6.

 1 Trouve les nombres qui manquent dans le tableau ci-contre. Écris-les sur la feuille qu'on te remettra.

+ ↱	2	?	5
4	?	10	?
?	3	7	6
3	?	9	?

2 Trouve les nombres qui manquent sur les figures planes.
Les figures identiques portent le même nombre.
Écris les nombres sur la feuille qu'on te remettra.

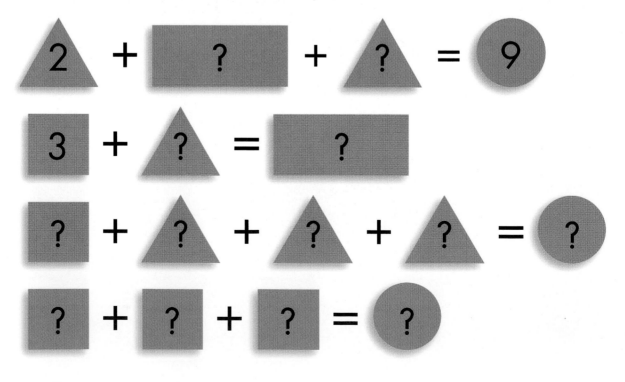

2 + ? + ? = 9

3 + ? = ?

? + ? + ? + ? = ?

? + ? + ? = ?

Sébastien pêche avec son père.
Sébastien a pris 12 poissons.
Son père a pris 6 poissons.
Combien de poissons Sébastien et son père ont-ils pris en tout ?

Comment peux-tu procéder pour effectuer ce calcul ?

Résous les situations suivantes.

 Fais un dessin ou utilise du matériel.
Écris une phrase mathématique.

1 L'an dernier, le père de Sébastien a pris 7 poissons
de plus que son fils.
Sébastien a pris 11 poissons cette année-là.
Combien de poissons le père de Sébastien a-t-il pris l'an dernier?

2 Un groupe de pêcheurs a pris 18 poissons ce matin.
Ils ont remis à l'eau 12 de ces poissons parce
qu'ils étaient trop petits.
Combien de poissons ces pêcheurs ont-ils gardés?

3 Martine a pris 10 poissons ce matin.
Elle a pris autant de poissons cet après-midi.
Combien de poissons Martine a-t-elle pris aujourd'hui?

4 Diana et Julien ont pris ensemble 16 poissons.
Diana a pris moins de poissons que Julien.

A Combien de poissons Julien a-t-il pris?

B Combien de poissons Diana a-t-elle pris?

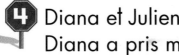

Observe la cible illustrée ci-contre.
Utilise-la pour répondre aux questions suivantes.
Laisse les traces de tes démarches.

 A Combien de points obtient-on si une fléchette atteint la région rouge et une autre fléchette la région bleue ?

B Combien de points obtient-on si 2 fléchettes atteignent la région bleue et une autre fléchette la région verte ?

 Daphné a obtenu un total de 20 points en lançant trois fléchettes sur cette cible.
Ses fléchettes ont atteint deux régions différentes.
Dans quelles régions Daphné a-t-elle lancé ses fléchettes ?

 Lili a obtenu moins de points que Dan.
Josée a obtenu plus de points que Dan.

A Qui a obtenu le plus de points ?

B Qui a obtenu le moins de points ?

 Billy a obtenu 19 points en lançant six fléchettes sur cette cible.
Ses fléchettes ont atteint trois régions différentes.
Dans quelles régions Billy a-t-il lancé ses fléchettes ?

Hakim veut représenter un carré à l'aide d'une corde.
Chaque côté du carré doit avoir une longueur de 1 mètre.
Comment peut-il procéder pour construire ce carré ?

Choisis le numéro 1 ou le numéro 2.

 1 Représente un rectangle à l'aide d'une corde
ou d'une bande de papier.
Ce rectangle a 2 côtés qui ont chacun 1 mètre de longueur.

 2 Représente un triangle à l'aide d'une corde
ou d'une bande de papier.
Ce triangle a des côtés qui ont chacun 1 mètre de longueur.

3 Discute avec d'autres élèves des ressemblances et des différences
entre les figures planes que vous avez représentées.

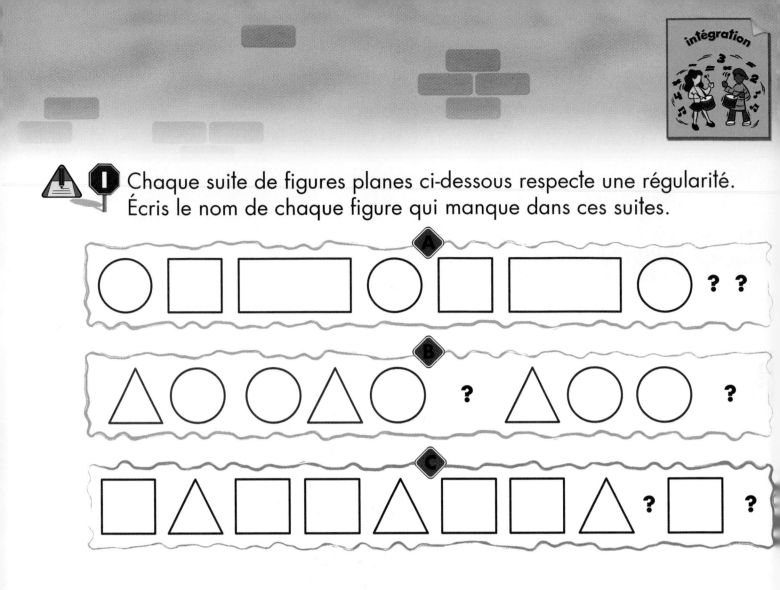

1 Chaque suite de figures planes ci-dessous respecte une régularité. Écris le nom de chaque figure qui manque dans ces suites.

2 Forme 2 ensembles à l'aide des figures planes illustrées ci-dessous. Écris la propriété de chaque ensemble et les lettres qui correspondent aux figures choisies.

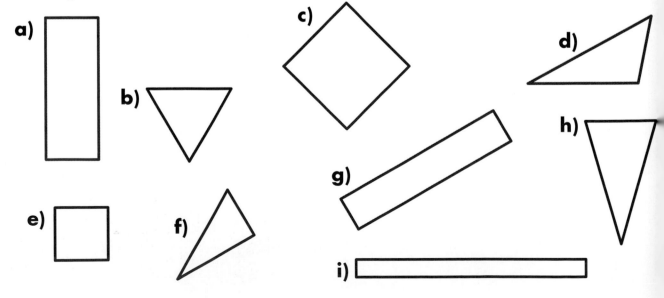

Leçon 55

Éloïse a des cours de piano le mercredi et des cours de natation le vendredi. Est-il possible qu'Éloïse ait plus de cours de piano que de cours de natation dans un mois ?

Comment peux-tu procéder pour vérifier ta réponse ?

1 Choisis 3 énoncés parmi ceux ci-dessous.
Vérifie-les à l'aide d'un calendrier annuel.
Indique si ces énoncés sont possibles ou impossibles.

A Il peut y avoir 5 fins de semaine dans un mois.

B Il peut y avoir plus de dimanches que les autres jours de la semaine dans un mois.

C Il peut y avoir le même nombre de jours de la semaine dans un mois.

D Il peut y avoir plus de samedis que de lundis dans un mois.

E Il peut y avoir plus de 4 semaines complètes dans un mois.

  Indique s'il est **possible**, **certain** ou **impossible** que chaque événement ci-dessous se produise.
Utilise le tableau sur la feuille qu'on te remettra.

 A Il neige en janvier au Québec.

B Un enfant de 4 ans a obtenu un permis de conduire.

 C Une maison est construite sur l'eau.

D Un homme de 50 ans a les cheveux bleus.

E Un cheval a 4 pattes.

 F Il pleut en hiver au Québec.

G Un athlète de 6 ans participe aux Jeux olympiques.

 2 Compare tes réponses du numéro 1 avec celles d'autres élèves.
Discute des différences entre les mots
« **possible** », « **certain** » et « **impossible** ».

3 Écris des événements **possibles**, **certains** et **impossibles**.
Invite une ou un élève à identifier ces événements.

Bob est un joueur de basket-ball.
Il mesure 2 mètres.
Estime cette hauteur sur l'un des murs de ta classe.
Indique ton estimation à l'aide d'un papier.
Comment peux-tu procéder pour vérifier ton estimation ?

mise en situation

Choisis le numéro 1, le numéro 2 ou le numéro 3.

 1 Une girafe peut mesurer 4 m de hauteur.
Représente cette hauteur sur une bande de papier.
Fixe ta bande sur un mur de ton école.

 2 Le saut d'un kangourou ou d'une grenouille-taureau
peut atteindre 3 m de hauteur.
Représente cette hauteur sur une bande de papier.
Fixe ta bande sur un mur de ton école.

 3 Un béluga peut mesurer 5 m de longueur.
Représente cette longueur sur une bande de papier.
Fixe ta bande sur un mur de ton école.

Le symbole de mètre est « m ».

Ce ruban mesure 1 m de longueur.

  A Représente une longueur de 2 m sur le plancher.
Mesure cette longueur à l'aide de tes pieds.
Quel résultat de mesure obtiens-tu ?

B Compare ton résultat avec ceux d'autres élèves.

2 Trois personnes ont mesuré une longueur de 2 m à l'aide
de leurs pieds.
Le tableau suivant indique les résultats de mesure obtenus.
Utilise-le pour répondre aux questions ci-dessous.

Karine	Paulo	Victor
10 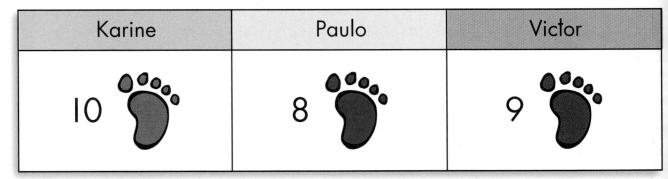	8	9

A Quelle personne
a les pieds les plus longs ?

B Quelle personne
a les pieds les plus courts ?

Les jeux d'Octave

Le jeu de la salle de quilles

Nombre d'élèves : 2 | Matériel : un jeu de cartes et des jetons

Les élèves utilisent 10 cartes, de l'as au 10, et les placent en pile, face cachée.

Chaque élève utilise une couleur de jetons.

Lorsque c'est ton tour :

- prends une carte ;
- ajoute le nombre sur la carte à la quantité de quilles dessinées dans une case afin d'obtenir 10 ;
- place un jeton sur la case choisie et garde la carte.

Le jeu se termine lorsque toutes les cases sont occupées.

L'élève qui a le plus de jetons sur les cases gagne la partie.

Écris tes réponses sur une feuille ou sur l'ardoise.

Utilise du matériel si tu en as besoin.

1 Les suites de nombres ci-dessous respectent une régularité. Quel nombre manque-t-il dans chacune de ces suites ?

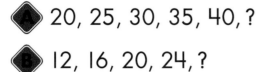
A 20, 25, 30, 35, 40, ?

B 12, 16, 20, 24, ?

2 Quel nombre est représenté dans chacune des cases ?

A

B

3 **A** Écris 3 additions différentes dont le résultat est 10.

B Écris 3 additions différentes dont le résultat est 8.

4 Résous la situation ci-contre.
Utilise un dessin ou
du matériel et écris
une phrase mathématique.

> Félix a marqué 12 points
> au basket-ball.
> Bianca a marqué 5 points.
> Combien de points Félix et Bianca
> ont-ils marqués ensemble ?

 5 La suite de figures planes ci-dessous respecte une régularité.
Quel est le nom de la figure qui manque dans cette suite ?

 **?**

6 Indique si chaque énoncé est possible, certain ou impossible.
Écris la lettre qui correspond à ton choix.

a) possible   **b)** certain   **c)** impossible

A Il pleut en automne au Québec.

B Il y a 9 jours dans une semaine.

C Un enfant marche à 10 mois.

 7 Quel objet peut avoir une hauteur d'environ 2 m dans la réalité ?
Écris la lettre qui correspond à ton choix.
a) Une chaise
b) La porte de la classe
c) Une craie pour le tableau

La maison de la calculatrice

Nombre d'élèves : 2   Matériel : une calculatrice

Résous les situations ci-dessous à l'aide d'une calculatrice.
Indique la séquence de touches sur lesquelles tu as appuyé pour trouver chaque réponse.

1 Alain court 8 kilomètres chaque jour de la semaine.

A Combien de kilomètres Alain aura-t-il couru au bout d'une semaine ?

B Combien de kilomètres Alain aura-t-il couru au bout de 2 semaines ?

C Combien de kilomètres Alain aura-t-il couru au bout de 6 semaines ?

2 L'escargot peut parcourir 50 m en 1 heure.

A Combien de mètres l'escargot pourrait-il parcourir en 8 heures ?

B Combien de mètres l'escargot pourrait-il parcourir en 12 heures ?

3 La tortue peut parcourir 250 m en 1 heure.
Combien de mètres la tortue pourrait-elle parcourir en 4 heures ?

**Réalise les activités ci-dessous
à l'aide d'un ordinateur.**

1 Réalise un dessin à l'aide des figures planes suivantes.

carré rectangle triangle cercle

2 **A** Construis un carré à l'aide de 2 triangles.

B Construis un rectangle à l'aide de 3 carrés.

C Construis un triangle à l'aide de 4 triangles.

3 Réalise le calendrier d'un mois ou celui d'une année.
Indique les anniversaires des élèves de la classe.

4 Réalise un dessin qui représente un événement
certain, possible ou impossible.

Des tours de magie mathématique

Découvre un tour de magie mathématique et présente-le aux élèves de ta classe.

Fais ta recherche auprès de personnes ressources ou en te servant de l'ordinateur.

Tu peux utiliser des dés, un jeu de cartes ou d'autres matériels. Voici un exemple :

> Je te remets 3 dés. Je mets un bandeau sur mes yeux pour ne rien voir.

> Jette les dés et additionne les 3 nombres obtenus.

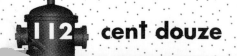

Le cirque Tempo

Le cirque Tempo est installé dans la ville de Concerto.
Tu dois résoudre 5 énigmes.
Elles te permettront d'obtenir les lettres « T », « E », « M », « P » et « O ».

Laisse les traces de tes démarches.
Écris tes réponses sur une feuille ou sur l'ardoise.
Utilise du matériel si tu en as besoin.

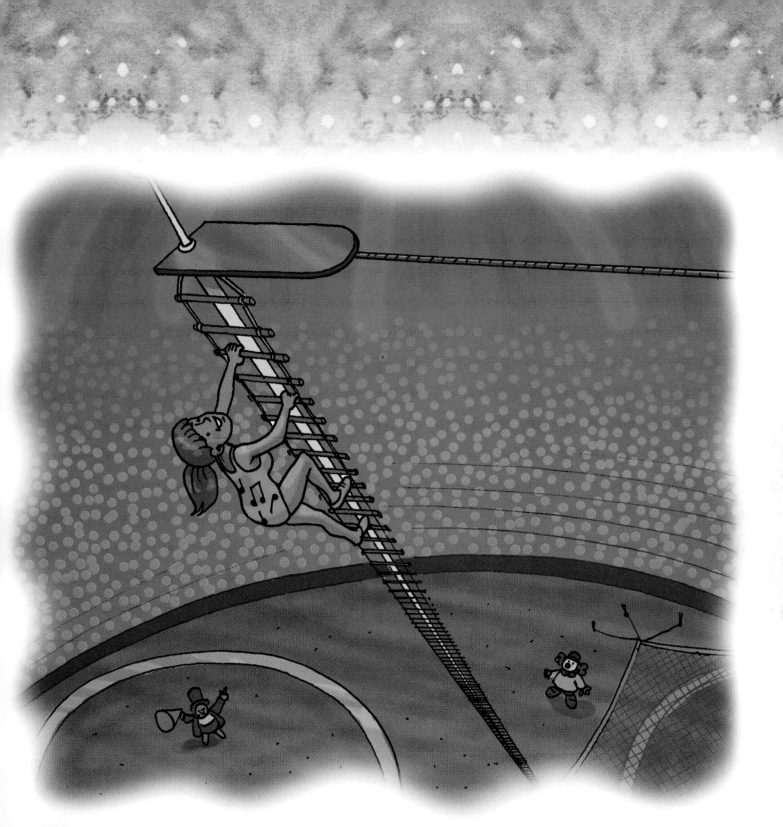

T Une acrobate doit grimper une échelle pour atteindre le fil de fer sur lequel elle marchera.
Cette échelle a 87 barreaux.
Elle grimpe l'échelle en plaçant un pied tous les 3 barreaux.
Combien de barreaux ses pieds toucheront-ils ?

 E L'un des clowns porte un costume garni de boutons rouges et de boutons bleus.

Il y a exactement 4 dizaines de boutons rouges et 5 dizaines de boutons bleus sur son costume.

Combien de boutons bleus y a-t-il de plus que de boutons rouges sur son costume ?

 Il y a 6 chiens savants qui font leur numéro.
Il y a 2 chiens mâles de plus que de chiens femelles.
Combien de chiens mâles font ce numéro ?

Les équilibristes utilisent des solides pour leur numéro.
Quel équilibriste utilise un solide qui peut seulement glisser
et qui possède 5 faces ?
Indique la couleur du maillot de cet équilibriste.

 La 5ᵉ représentation du cirque Tempo dans la ville de Concerto vient de se terminer.
Le cirque fait 2 représentations chaque jour de la semaine.
Les représentations ont commencé jeudi.
Quel jour est-ce aujourd'hui ?

Contenu disciplinaire

Leçon 29 ◆	Nombres naturels de 0 à 70 : comptage, dénombrement, estimation, lecture, écriture, ordre, ordre croissant, comparaison
Leçon 30 ◆	Système de numération : représentation, décomposition, structure, régularités
Leçon 31 ◆	Addition et soustraction : sens, représentation, relation, équivalence, propriété, calculs [résultat et premier terme inférieurs ou égaux à 8]
Leçon 32 ◆	Solides : comparaison, propriétés, caractéristiques, construction
Leçon 33 ◆	Situations d'addition et de soustraction : dessin, matériel, phrase mathématique, choix de l'opération, réponses différentes [résultat et premier terme inférieurs ou égaux à 8]
Leçon 34 ◆	Sens spatial : repérage sur un axe, vocabulaire, représentation et comparaison de trajets
Leçon 35 ◆	Longueur : estimation, mesurage à l'aide d'unités non conventionnelles, comparaison, ordre
Leçon 36 ◆	Système de numération : représentation, décomposition, structure, régularités
Leçon 37 ◆	Figures planes : caractéristiques, description, identification, comparaison, construction
Leçon 38 ◆	Addition et soustraction : sens, représentation, relations, propriété, équivalence, calculs [résultat et premier terme inférieurs ou égaux à 10]
Leçon 39 ◆	Mesures de temps : saison, mois Nombres naturels : ordre, comparaison
Leçon 40 ◆	Phénomènes aléatoires simples : combinaison, dénombrement de résultats (tableau, diagramme à bandes, etc.) Statistiques : interprétation et représentation de données (tableau, diagramme à bandes, etc.)
Leçon 41 ◆	Longueur : estimation, procédures, mesurage à l'aide d'unités conventionnelles (mètre), comparaison
Leçon 42 ◆	Situations d'addition et de soustraction : dessin, matériel, phrase mathématique, choix de l'opération [résultat et premier terme inférieurs ou égaux à 10], logique

Leçon 43 ◆	Nombres naturels de 0 à 100 : comptage, ordre croissant, ordre décroissant, lecture, écriture, comparaison, classification
Leçon 44 ◆	Addition et soustraction : sens, terme manquant, propriété, calculs [résultat et premier terme inférieurs ou égaux à 10] Solides : construction
Leçon 45 ◆	Solides (prisme) : comparaison, propriétés, caractéristiques, construction Figures planes : identification, description, caractéristiques, comparaison
Leçon 46 ◆	Figures planes : identification, caractéristiques, description, comparaison, construction
Leçon 47 ◆	Addition : sens, équivalence, propriété [résultat et premier terme inférieurs ou égaux ou à 20 (sans retenue)]
Leçon 48 ◆	Situations d'addition et de soustraction : dessin, matériel, phrase mathématique, choix de l'opération [résultat et premier terme inférieurs ou égaux à 10] Statistiques : interprétation d'un diagramme à bandes
Leçon 49 ◆	Mesures de temps : mois, semaine, fin de semaine, hier, aujourd'hui, demain, calendrier
Leçon 50 ◆	Nombres naturels : régularités
Leçon 51 ◆	Système de numération : représentation, décomposition, composition, structure, régularités
Leçon 52 ◆	Addition : sens, terme manquant, propriété, calculs [résultat inférieur ou égal à 10] Figures planes : identification
Leçon 53 ◆	Situations d'addition et de soustraction : dessin, matériel, phrase mathématique, choix de l'opération [résultat et premier terme inférieurs ou égaux à 20 (sans retenue, ni emprunt)]
Leçon 54 ◆	Figures planes : identification, caractéristiques, description, comparaison, construction Longueur : mesurage à l'aide d'unités conventionnelles (mètre)
Leçon 55 ◆	Phénomènes aléatoires simples : événement possible, certain ou impossible Mesures de temps : mois, semaine, fin de semaine, calendrier
Leçon 56 ◆	Longueur : estimation, procédures, comparaison, mesurage à l'aide d'unités conventionnelles (mètre)

Coffres au trésor

● Leçon 4, page 26

0, 1, 2, 3, 4, 5, 6

6, 5, 4, 3, 2, 1, 0

Je récite les nombres de 0 à 6, du plus petit au plus grand.

Je récite les nombres de 0 à 6, du plus grand au plus petit.

● Leçon 5, page 29

J'ajoute 1 perle à mon collier.

J'enlève 2 perles à mon collier.

● Leçon 6, page 32

On peut mesurer des longueurs avec différentes unités de mesure.

Je mesure la longueur d'un dessin avec des réglettes rouges.

Je mesure la longueur d'un dessin avec des trombones.

● Leçon 8, page 41

Ce solide roule.

Ce solide a une surface courbe.

Ce solide glisse.

Ce solide a des faces planes.

Ce solide peut rouler et glisser.

Ce solide a une surface courbe et des faces planes.

● Leçon 9, page 44

On peut dénombrer une quantité en comptant un à un les éléments.

On peut dénombrer une quantité en comptant par bonds de 1 à partir d'un certain nombre d'éléments.

Un, deux, trois, quatre, cinq, six, sept, huit, neuf, dix.

Cinq, six, sept, huit, neuf, dix.

Coffres au trésor

1re étape

● Leçon 11, page 50

frontière

région intérieure

région extérieure

● Leçon 12, page 53

On doit utiliser la même unité de mesure pour comparer des longueurs.
La paille rayée a une longueur de 4 réglettes rouges.
La paille blanche a une longueur de 3 réglettes rouges.
La paille rayée est la plus longue.
La paille blanche est la plus courte.

● Leçon 13, page 56

Ce signe veut dire **est égal à**.

Ce signe veut dire **plus**, **ajoute** ou **réunis**.

2e étape

● Leçon 15, page 71

Je récite les nombres de 0 à 20, du plus petit au plus grand,
et du plus grand au plus petit.
Je compare, j'ordonne, je représente,
je lis et j'écris ces nombres.

0	1	2	3	4	5	6	7	8	9
10	11	12	13	14	15	16	17	18	19
20									

● Leçon 16, page 74

Ce solide est un cube.

Ce solide est une sphère.

Ces solides sont des prismes.

Ces solides sont des cylindres.

Ces solides sont des pyramides.

Ce solide est un cône.

Coffres au trésor

● Leçon 17, page 77

Je compare les nombres en utilisant des signes.

< « plus petit que »	> « plus grand que »	= « égal à »
2 < 5	5 > 2	2 = 2

● Leçon 18, page 80

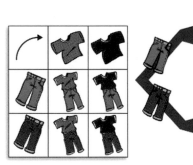

Ce signe veut dire **moins** ou **enlève**.

● Leçon 19, page 83

On peut représenter et trouver des combinaisons à l'aide d'un tableau ou d'un arbre.

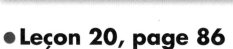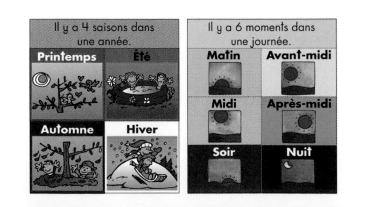

● Leçon 20, page 86

Il y a 4 saisons dans une année.

Printemps — Été — Automne — Hiver

Il y a 6 moments dans une journée.

Matin — Avant-midi — Midi — Après-midi — Soir — Nuit

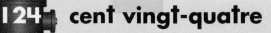

Coffres au trésor

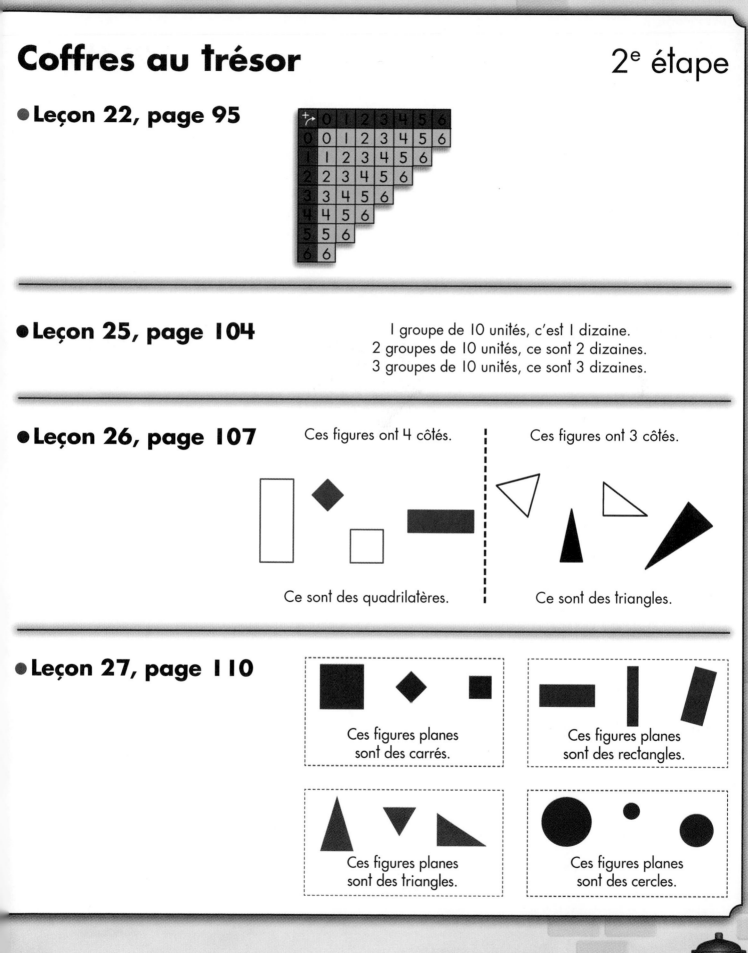

● **Leçon 22, page 95**

● **Leçon 25, page 104**

1 groupe de 10 unités, c'est 1 dizaine.
2 groupes de 10 unités, ce sont 2 dizaines.
3 groupes de 10 unités, ce sont 3 dizaines.

● **Leçon 26, page 107**

Ces figures ont 4 côtés.

Ces figures ont 3 côtés.

Ce sont des quadrilatères.

Ce sont des triangles.

● **Leçon 27, page 110**

Ces figures planes
sont des carrés.

Ces figures planes
sont des rectangles.

Ces figures planes
sont des triangles.

Ces figures planes
sont des cercles.

Coffres au trésor

● **Leçon 29, page 9**

J'écris les nombres de 1 à 69
en ordre croissant sur une droite numérique.

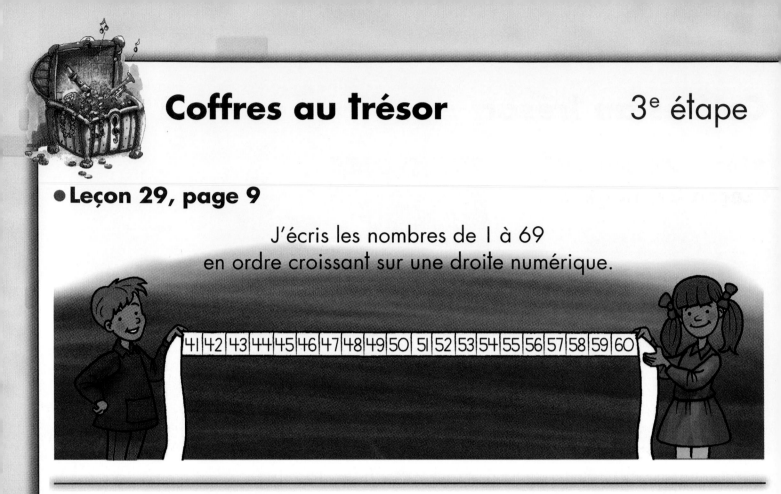

| 41 | 42 | 43 | 44 | 45 | 46 | 47 | 48 | 49 | 50 | 51 | 52 | 53 | 54 | 55 | 56 | 57 | 58 | 59 | 60 |

● **Leçon 30, page 12**

Je peux décomposer des nombres en utilisant 10.

$$10 + 1 = 11$$
$$10 + 2 = 12$$

$$10 + 10 + 1 = 21$$
$$10 + 10 + 2 = 22$$

$$10 + 10 + 10 + 1 = 31$$
$$10 + 10 + 10 + 2 = 32$$

Coffres au trésor

●**Leçon 31, page 15**

C'est facile de retenir les « doubles »!

$$1 + 1 = 2$$
$$2 + 2 = 4$$
$$3 + 3 = 6$$
$$4 + 4 = 8$$

●**Leçon 32, page 18**

Je construis une boule, un cône et un cylindre à l'aide de pâte à modeler. J'utilise différentes techniques pour construire ces solides.

Par exemple, je roule la pâte à modeler sur une table ou entre mes mains pour obtenir une surface courbe.

Par exemple, je coupe la pâte à modeler à l'aide d'un couteau pour obtenir une face plane.

Coffres au trésor

3e étape

● **Leçon 34, page 24**

Je peux représenter un trajet sur un quadrillage à l'aide de flèches.
Chaque flèche correspond à l'un des côtés d'une case du quadrillage.

↓	↑	→	←
Vers le bas	**Vers le haut**	**Vers la droite**	**Vers la gauche**

● **Leçon 36, page 33**

Dans le nombre 45, le chiffre 4 est à la position des dizaines
et le chiffre 5 est à la position des unités.

Dans le nombre 54, le chiffre 5 est à la position des dizaines
et le chiffre 4 est à la position des unités.

54 > 45	45 < 54

● **Leçon 38, page 39**

Je peux effectuer mentalement
une addition en utilisant
les « doubles ».

$$4 + 5 = 4 + 4 + 1$$
$$4 + 5 = 8 + 1$$
$$4 + 5 = 9$$

Coffres au trésor

● **Leçon 39, page 42**

Je connais et j'ordonne les 12 mois de l'année.

● **Leçon 41, page 48**

Je peux représenter une longueur de 1 mètre à l'aide de mes bras.

● **Leçon 43, page 63**

J'écris les nombres de 69 à 99 en ordre décroissant sur une droite numérique.

| 99 | 98 | 97 | 96 | 95 | 94 | 93 | 92 | 91 | 90 | 89 | 88 | 87 | 86 | 85 | 84 | 83 | 82 | 81 | 80 |

Coffres au trésor

● **Leçon 44, page 66**

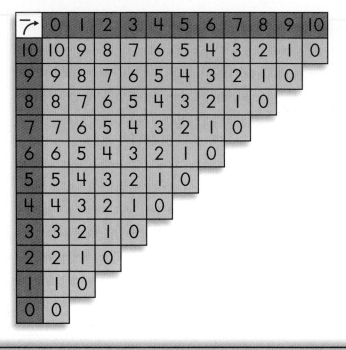

↗	0	1	2	3	4	5	6	7	8	9	10
10	10	9	8	7	6	5	4	3	2	1	0
9	9	8	7	6	5	4	3	2	1	0	
8	8	7	6	5	4	3	2	1	0		
7	7	6	5	4	3	2	1	0			
6	6	5	4	3	2	1	0				
5	5	4	3	2	1	0					
4	4	3	2	1	0						
3	3	2	1	0							
2	2	1	0								
1	1	0									
0	0										

● **Leçon 45, page 69**

Coffres au trésor

● **Leçon 47, page 75**

● **Leçon 49, page 81**

Il y a 7 jours dans une semaine.
La semaine commence le dimanche.

Dimanche	Lundi	Mardi	Mercredi	Jeudi	Vendredi	Samedi

● **Leçon 50, page 87**

Je peux construire une suite de nombres en respectant une régularité.
Je compte par 2, en avançant, si j'utilise la règle « + 2 ».

2, 4, 6, 8, 10, ...

Coffres au trésor

● Leçon 51, page 90

On peut représenter le nombre 48 de différentes façons.

$$10 + 10 + 10 + 10 + 8$$

D	U
4	8

Etc.

● Leçon 52, page 93

Pour trouver le nombre qui manque dans l'addition 3 + ? = 9, je peux :
• réciter les nombres 4, 5, 6, 7, 8, 9 et compter la quantité totale de nombres que j'ai dits
ou
• faire la soustraction 9 − 3 = 6.

● Leçon 56, page 105

Le symbole de mètre est « m ».

Ce ruban mesure 1 m de longueur.

Vocabulaire

Nombres naturels

Voici le vocabulaire mathématique que tu as utilisé dans le manuel B.

A
- 0, 1, 2, 3, ..., 100
- Droite numérique

B
- Chiffre
- Nombre

C
- Ordre croissant
- Ordre décroissant

D
- Plus que
- Autant que
- Moins que

E
- Représenter

F
- Équivalence

G
- Suite de nombres
- Régularité
- Règle

H
- Ajouter
- Réunir
- Plus (+)
- Addition
- Résultat

I
- Enlever
- Moins (−)
- Soustraction
- Résultat

J
- Avant
- Entre
- Après

K
- Immédiatement avant
- Immédiatement après

L
- Égal (=)
- Plus grand que (>)
- Plus petit que (<)

M
- Estimer

N
- Unité
- Dizaine (groupe de 10)
- Décomposer

O
- Phrase mathématique

P
- De moins
- De plus
- Aucun

Vocabulaire

Géométrie

A <ul><li>À gauche</li><li>À droite</li><li>Vers la gauche</li><li>Vers la droite</li></ul>	**B** <ul><li>Vers le haut</li><li>Vers le bas</li></ul>
C <ul><li>Solide</li><li>Surface courbe</li><li>Face plane</li><li>Roule</li><li>Glisse</li><li>Base d'un solide</li><li>Face</li></ul>	**D** <ul><li>Boule</li><li>Cube</li><li>Cylindre</li><li>Cône</li><li>Prisme</li><li>Pyramide</li></ul>
E <ul><li>Figure plane</li><li>Côté</li></ul>	**F** <ul><li>Carré</li><li>Cercle</li><li>Rectangle</li><li>Triangle</li></ul>
G <ul><li>Région</li></ul>	

Vocabulaire

Mesures

A
- Mesurer
- Unité de mesure
- Résultat de mesure
- Mètre (m)

B
- Plus long que
- Moins long que
- Plus court que
- Moins court que
- Hauteur
- Longueur

C
- Estimation

D
- Avant-midi
- Après-midi
- Soir

E
- Saison
- Hiver
- Printemps
- Été
- Automne

F
- Jour
- Dimanche
- Lundi
- Mardi
- Mercredi
- Jeudi
- Vendredi
- Samedi

G
- Hier
- Aujourd'hui
- Demain
- Fin de semaine

H
- Mois
- Janvier
- Février
- Mars
- Avril
- Mai
- Juin
- Juillet
- Août
- Septembre
- Octobre
- Novembre
- Décembre

Vocabulaire

Probabilités et statistiques

A • Tableau

B • Combinaison

C • Possible
• Impossible
• Certain

D • Enquête
• Diagramme à bandes